CHANEL

SFILATE

CHANEL

SFILATE

TUTTE LE COLLEZIONI

Introduzione di Patrick Mauriès

Con oltre 1450 fotografie

Traduzione dal francese di Vera Verdiani,
Maura Parolini e Matteo Curtoni

L'ippocampo

SOMMARIO

KARL LAGERFELD

INTRODUZIONE

« LA MODA PASSA, LO STILE È PER SEMPRE »

di Patrick Mauriès

Alle 15 del 25 gennaio 1983 un piccolo e selezionatissimo gruppo
di invitati si ritrova negli eleganti e gloriosi saloni del 31 di rue Cambon,
gli stessi dove Mademoiselle Chanel, nascosta sulla scala, presentava
le sue collezioni. Gli ospiti si rendono conto che ciò a cui stanno
assistendo è un evento storico, ma forse non quello che si erano aspettati.

Parigi non si è ancora ripresa dalla notizia che Karl Lagerfeld, una delle
più famose figure del prêt-à-porter, all'apice della creatività, è stato messo
alla guida di una maison di haute couture in un certo qual modo assopita.
E tutti si chiedono, non senza una punta di *Schadenfreude*, come farà
l'uomo col ventaglio – il creatore di uno stile fluido e floreale come
quello di Chloé – a liberarsi dalla trappola in cui è andato lui stesso
a cacciarsi: farsi carico dell'eredità ormai sbiadita di una leggenda
della moda, aggiornandola al gusto contemporaneo.

Mademoiselle è mancata nel 1971, dopo un travagliato ritorno nel 1954
e dopo essere riuscita a rilanciare la maison, imponendo una formula
senza dubbio brillante come i commenti di cui è prodiga, ma anche
irrimediabilmente rigida. I vari tentativi di portare avanti il suo retaggio
si sono rivelati infruttuosi e all'arrivo di Lagerfeld la situazione non
sembra affatto promettente. « La gente tende a dimenticare », dirà
con il suo inconfondibile humour lo stilista dalla coda di cavallo,
« che c'è stato un tempo in cui il marchio Chanel appariva vecchio
e superato. Lo indossavano solo le mogli dei medici parigini.
Nessuno lo voleva più, era un caso disperato… »

Questo primo show stabilisce il tono di tutto ciò che seguirà, rivelando
un approccio destinato in seguito a restare sostanzialmente immutato.
Animato da sempre da una grande passione per l'arte e per le tecniche
della moda, Lagerfeld si serve delle sue conoscenze per reinventare
evitando i cliché. Per cui ad aprire la sfilata è l'iconico tailleur dai bordi
a contrasto, simbolo della maison, nei tre vividi colori blu, bianco e rosso,
ma le cui proporzioni appaiono già sottilmente alterate: le spalle marcate,
la vita enfatizzata e una nuova lunghezza per la gonna. Nei ricami e nella
silhouette scolpita si ritrovano tutti gli immancabili elementi del lessico
di Chanel – le camelie, il motivo a doppia C, le catene, i bijoux – riciclati
sotto forma ora di contrappunti, ora di allusioni al canone della maison.
La strategia è studiata nei minimi particolari. « Se guardiamo le
collezioni degli anni '50, soprattutto le ultime », spiega Lagerfeld,
« ci sono pochissime catene, nessuna doppia C e nemmeno le camelie…
Negli anni '80 abbiamo invece dovuto ricorrere all'enfasi, altrimenti
avremmo avuto soltanto un tailleur in tweed con fiocchetto, elegante
ma *bourgeois*. Ho riportato alla ribalta tutti questi elementi esagerandoli
e convincendo la gente che fossero sempre stati così. »

A questa mossa d'apertura se ne affianca un'altra. Non pago di aver letteralmente destrutturato e poi riconfigurato gli elementi del guardaroba Chanel, l'« uniforme » che nei decenni precedenti è stata sinonimo della maison, Lagerfeld si rifà a un passato più lontano: le linee lunghe e fluide usate da Coco negli anni '30, le maglie morbide, il gusto per il tulle e per l'organza ornati di pizzi e ricami. Se negli anni '50 la maison viene inevitabilmente associata al tailleur in tweed d'ispirazione maschile e dalle linee strutturate, la donna Chanel degli anni '30 è sinuosa e femminile, la sera avvolta in una nuvola di pizzo e di giorno, a casa, in un twin-set o in una *petite robe noire*. « Negli anni '30 Chanel era più famosa per i pizzi che per i tailleur. Se qualcuno mi dice 'pizzo', mi viene subito in mente Chanel », spiega Lagerfeld. E, a proposito della sua ricerca di una mediazione tra queste due polarità, aggiunge: « Lascio che lo stile di Chanel sia libero di evolversi e lo faccio pensando a una frase di Goethe: 'per costruire un futuro migliore bisogna sviluppare gli elementi del passato'. »

Lagerfeld non intende rifiutare il lignaggio che è chiamato a portare avanti e nemmeno affermare la propria identità sovvertendo i codici della maison, per quanto datati possano sembrare. A lui interessa immergersi nella storia, tirarne le fila per tessere un nuovo stile che guardi al futuro. In effetti è questo che Karl Lagerfeld ha sempre fatto, dagli esordi presso Balmain e Patou, fino alle successive collezioni per Cadette, Krizia, Charles Jourdan, Mario Valentino, Fendi o Chloé, trasformando i vari brand in altrettante maschere e in altrettante identità.

In controtendenza rispetto al sistema e alla logica stessa del mondo della moda, Lagerfeld riesce incredibilmente a diventare un grande stilista pur senza un suo brand. E anche quando lancerà il marchio Lagerfeld Gallery – in seguito ribattezzato Karl Lagerfeld – ne affiderà la gestione a terzi, assumendo un ruolo di rappresentanza. È l'uomo per tutti i brand e di nessun brand; è semplicemente se stesso. È questo il leitmotiv del suo personaggio: l'opportunista, il camaleonte della moda, il dilettante e persino il mercenario d'alta classe. « In fondo sono solo al soldo di qualcuno che mi assume per portare avanti un marchio », dichiara con grande schiettezza fin dalle prime interviste, per poi concludere in modo ancora più drastico: « Dimenticarmi di me, questa è la mia vita, questo è il mio lavoro. »

Così facendo inaugura una nuova era e un nuovo modello di business che, nei decenni successivi, continuerà ad affermarsi fino a imporsi come standard: quello dello stilista onnipotente. È questa la svolta epocale a cui il 25 gennaio 1983 i suoi ospiti assistono senza saperlo. Ci vorranno oltre dieci anni, con l'avvento di John Galliano da Dior, di Tom Ford da Yves Saint Laurent, e in seguito di Marc Jacobs, di Hedi Slimane e di Nicolas Ghesquière, perché questo modello diventi la norma, in risposta anche ai profondi mutamenti avvenuti nell'industria della moda.

Da questo punto di vista le pagine che seguono offrono una panoramica esemplare delle grandi trasformazioni avvenute in questo settore negli ultimi trent'anni, tra cui la ridefinizione del ruolo della haute couture, del prêt-à-porter e delle *capsule collection*.

Oltre al desiderio di Lagerfeld di tenersi in disparte, una delle ragioni per cui questo approccio perdura nella maison Chanel (anche se i primi anni sono meno idilliaci di quanto si possa pensare) è la visione che il *couturier* ha di Mademoiselle. Agli occhi del suo successore, Coco non è mai stata una figura rigida con lo sguardo sempre rivolto al tempo che fu, bensì una personalità mercuriale e imprevedibile, un'artista fortemente radicata nel presente e capace di coglierne al volo lo spirito e le necessità. « Era una donna del suo tempo. Non una *has been* aggrappata al passato », spiega Lagerfeld. « Anzi, detestava il passato, compresa la sua storia personale, ed era quello il suo segreto. Ecco perché il marchio Chanel deve rispecchiare il presente. »

Ma c'è di più: questa volontà di restare in contatto con il presente è ciò che ha permesso a Coco Chanel di precorrere i tempi. « Se qualcuno mi chiedesse chi era Chanel, risponderei che è stata la prima stilista a dare alle donne una modernità che prima non esisteva. »

La moda è l'arte del cambiamento e dell'appropriazione, della metamorfosi e della traslitterazione: chi la crea deve essere in grado di usare gli elementi costitutivi della realtà di ogni giorno per dare vita a qualcosa di completamente nuovo che potrebbe persino risultare migliore dell'originale. È ciò che Chanel fa, per esempio, con alcuni dettagli e materiali presi in prestito dall'abbigliamento maschile, e ciò che Lagerfeld fa a sua volta con i simboli tradizionali della maison.

Verrebbe quasi da pensare a ciò che lo scrittore e filosofo del Seicento Baltasar Graciàn chiamava la « *ponderaciòn misteriosa* »: quell'impalpabile senso della misura che rende efficace un motto di spirito. Questo amore per l'arguzia, la sintesi e l'ironia è una qualità che attraversa l'intera esistenza di Lagerfeld, sia nella vita privata che nella moda.

Il desiderio e la necessità di ancorarsi al presente, di catturare il momento come in uno scatto fotografico sembrano per loro stessa natura destinati a svanire in fretta. Ma, inaspettatamente, nel caso di Coco Chanel accade l'opposto: il suo stile sfugge alla caducità e acquisisce una qualità senza tempo. Come spiega Lagerfeld: « Chanel non ci ha lasciato solo una moda ma un vero e proprio stile. E lo stile, com'era solita dire, non invecchia. » E ancora: « Chanel ci ha lasciato il suo stile, riconoscibile a prima vista. Uno stile senza tempo che deve, allo stesso modo, calarsi nel presente. È lo stile di un'altra epoca riuscito a sopravvivere adattandosi alla modernità. » E non è un caso che questa formula si applichi sia a Coco Chanel sia al suo successore.

Una visione che, in modo più o meno consapevole, affonda le sue radici in una classica definizione dello stile che ricorda da vicino lo spirito del Conte de Buffon, secondo la quale lo stile è la donna stessa. « Coco aveva un look e uno stile unici… era una persona che non capiva niente e allo stesso tempo capiva tutto, ovvero capiva se stessa. Ed è questo ciò che ci ha dato… se stessa. » La sua moda nasce da una reazione soggettiva, fisica e psicologica agli ambienti che frequenta e a cui sente di non appartenere. La sua risposta a questo disagio arriva attraverso il suo immaginario personale, attraverso echi della sua vita privata di cui troviamo frammenti in tutta la sua produzione creativa: echi dell'orfanotrofio di Aubazine; il tweed del periodo del duca di Westminster; il jersey di Deauville; i bijoux che rievocano lo sfarzo bizantino di Venezia e del granduca Dmitri Pavlovich. Una serie di elementi che Lagerfeld, con grande abilità, incorpora in combinazioni sempre diverse, fondendoli con la propria immaginazione. Sotto un apparente « camaleontismo » è facile individuare alcune delle costanti del *couturier*: il gusto per le citazioni colte, un approccio eclettico al linguaggio visivo, l'arguzia di cui già si è detto; l'amore per la moda degli anni '30, per linee lunghe e fluide che si sovrappongono e si intrecciano; la passione per il bianco e nero, caposaldo del brand Karl Lagerfeld; e, ultimo ma non meno importante, l'eco di una Germania idealizzata, sempre presente benché abbandonata da decenni. Il grande maestro dichiara: « Mi considero tedesco, ma di una Germania che non esiste più », un'osservazione che sembra includere anche l'uso che lo stilista fa della sua lingua madre. Non a caso i due modelli di eleganza più spesso citati come fonti d'ispirazione, benché privi di legami con il mondo della moda, sono lo scrittore e uomo politico Walter Rathenau e l'esteta e collezionista d'arte Harry Kessler, di cui non è difficile trovare tracce nel suo look.

È questo che Lagerfeld ha in comune con Coco Chanel, ossia il fatto che entrambi finiscono per *incarnare* la loro visione della moda. Basti pensare a come, nel corso degli anni, il *couturier* ha reinventato il proprio stile fino ad assurgere allo status d'icona. Quello che negli anni '80 era il dandy dal ventaglio ossessionato dal Settecento, negli anni '90 diventa l'appassionato di moda giapponese, per poi, nel decennio successivo, affrontare un'altra trasformazione radicale, indossando camicie su misura con colletto a coda di rondine che sottolineano l'esile silhouette adottata come ultima metamorfosi di ciò che lui stesso definisce la sua « marionetta. »

Sarebbe riduttivo considerare questi cambiamenti come meri dettagli biografici: in realtà essi riflettono la trasformazione vissuta dal mondo della moda nel corso degli ultimi trent'anni e l'impulso irrefrenabile di Lagerfeld a evolversi verso un « branding multinazionale del lusso » in un momento storico in cui la moda cerca di raggiungere una clientela sempre più ampia, più ricca e più ambiziosa. Proprio a questo si deve l'enfasi posta sugli « elementi intramontabili » di Chanel: la borsa matelassé 2.55, il tailleur con bordi a contrasto, le scarpe bicolori, le camelie, i bijoux, e le loro innumerevoli variazioni che il *couturier* concepisce brillantemente collezione dopo collezione. Per Lagerfeld sono soprattutto simboli riconoscibili, capaci di superare barriere linguistiche e geografiche: « Il che è fondamentale per i brand di oggi. Come mai prima d'ora, esportiamo in paesi in cui non si parla la nostra lingua e non si usa il nostro alfabeto. In molte parti del mondo la gente forse riesce a riconoscere la famosa 'doppia C', ma ha difficoltà a leggere il nome, che impara solo in seguito. Una volta le persone che compravano Chanel conoscevano la nostra cultura e parlavano l'inglese o il francese. Adesso sono solo una parte della nostra clientela. Oggi i logo sono l'esperanto del marketing, del lusso e degli affari. »

L'avvento delle top model coincide con l'arrivo di Lagerfeld da Chanel, e il *couturier* è determinante nella decisione della maison di offrire un contratto in esclusiva a Ines de La Fressange. Si tratta di una mossa del tutto inedita per l'epoca: l'inizio di una nuova strategia di identificazione del brand che continuerà nel tempo con la scelta di una manciata di volti emblematici, fino a Cara Delevingne negli anni 2010. La tappa successiva della creazione di una lingua franca visiva avviene quando Lagerfeld si fa carico non solo delle collezioni, ma anche della loro presentazione attraverso servizi fotografici e campagne pubblicitarie, e della gestione globale dell'immagine di Chanel.

La crescita del marchio non si è mai arrestata, in particolare nell'ultimo decennio. Gli anni 2000 hanno visto un'impennata del numero e della varietà delle sfilate. Le collezioni crociera, estensioni delle linee prêt-à-porter che offrono a una clientela privilegiata capi da indossare durante vacanze esotiche, ora vengono presentate nell'ambito di eventi internazionali organizzati in location inconsuete – autobus parigini, la Grand Central Station di New York, l'aeroporto di Santa Monica, il Lido di Venezia, il Boschetto delle Tre Fontane a Versailles, Dempsey Hill a Singapore, The Island a Dubai e il Paseo del Prado a L'Avana – ripresi dalla stampa di tutto il mondo.

Da questo desiderio di mettere in risalto il savoir-faire dei tanti atelier che Chanel ha acquisito e finanziato negli anni nascono anche le sfilate *métiers d'art** in cui viene esibita la maestria di maison quali Lesage (ricami), Lemarié (piume e fiori artificiali), Michel (cappelli), Causse (guanti), Massaro (calzature) nonché Barrie, lo storico fornitore scozzese del cachemire usato da Chanel. È una nuova opportunità per portare in passerella luoghi e culture di tutto il mondo spingendosi oltre i limiti tradizionali dell'industria della moda. Da Bombay a Edimburgo, da Dallas a Shanghai e a Salisburgo, queste superbe collezioni vengono presentate in luoghi storici

---

* « Artigianato artistisco » (N.d.T.)

o spettacolari, diventando una vivace vetrina per le infinite variazioni dei simboli iconici del marchio, per i motivi esotici e i riferimenti al passato. Ancora una volta Lagerfeld inaugura una prassi che verrà emulata da tutte le principali maison.

Questo genere di teatralizzazione della moda sembra affermarsi sempre di più. Le collezioni haute couture e prêt-à-porter vengono solitamente presentate sullo sfondo di grandi scenografie stravaganti; le sfilate Chanel si svolgono quasi sempre all'interno del Grand Palais, a Parigi. Sono concepite come eventi globali, nuovi modi per ampliare e universalizzare il messaggio della moda sullo sfondo di una guerra dell'immagine sempre più aspra.

Haute couture, prêt-à-porter, crociera, *métiers d'art*: ciascuna delle sei** collezioni annuali che Lagerfeld crea per Chanel ha esigenze particolari e richiede modalità di presentazione tutte sue. Contrariamente a ciò che si potrebbe pensare, nel vasto e variegato mondo della moda contemporanea – con le sue collaborazioni « high-low » (linee ideate da stilisti di primo piano, tra cui Lagerfeld, per catene a grande diffusione) e il livello sempre più elevato di maestria applicata al prêt-à-porter che ora può rivaleggiare con la haute couture in termini di prezzi e raffinatezza – i confini tra questi molteplici registri che sembrerebbero confondersi restano ben chiari agli occhi di Lagerfeld. Che nel 2015 dichiara: « La haute couture non ha niente a che vedere con il prêt-à-porter. O meglio, *non dovrebbe* avere niente a che vedere con il prêt-à-porter. » Questa distinzione non riguarda solo l'aspetto tecnico – l'esecuzione minuziosa, le centinaia di ore di ricamo, le rifiniture personalizzate per una clientela necessariamente selezionatissima – ma riflette anche alcune innovazioni tecnologiche che offrono nuove potenzialità: l'impiego del 3D di cui è un lampante esempio la collezione haute couture autunno/inverno 2015/2016.

« Nella moda », sottolinea Lagerfeld, « il futuro è fatto di tre mesi, poi altri tre mesi, poi altri tre mesi… » E quest'uomo che si muove e parla in fretta sembra nato per questa sorta di moto perpetuo: sempre in anticipo di un'idea su ciò che sta dicendo e di due sul suo interlocutore. Sempre impegnato a reinventare e a guardare al futuro, segue letteralmente il filo delle sue creazioni o, come le chiama lui, delle sue « proposte. » « Non analizzo ciò che faccio. Lo faccio e basta. Propongo. La mia è una vita di proposte. E comunque, di tutte le mie collezioni quella che conta di più è sempre la prossima. »

** Karl Lagerfeld disegna un totale di dieci collezioni all'anno per la maison, sei delle quali vengono presentate in passerella.

Non conserva niente, non vuole ricordare niente, getta via ogni cosa:
« Butto via tutto. Il mobile più importante di una casa è il secchio
della spazzatura! Non conservo archivi personali, schizzi, fotografie,
indumenti – niente! Sono tenuto a fare, non a ricordare! »
È stata questa sua filosofia che di recente lo ha spinto a rifiutare
di collaborare o anche solo partecipare a una retrospettiva sulla sua
carriera. Forse questo è il paradosso definitivo di questo colto maestro
ritagliato nel tessuto del tempo stesso: non conosce e non gli interessa
nulla al di là del suo eterno presente, del momento in cui si siede
con una matita per disegnare un nuovo abito che verrà poi realizzato,
quasi per magia, dall'invisibile abilità delle *petites mains****.

*** Nel gergo dell'artigianato sartoriale la *petite main* (« manina ») è l'operaia che esegue
il lavoro.

LE COLLEZIONI

KARL LAGERFELD: BREVE BIOGRAFIA

di Patrick Mauriès

Karl Lagerfeld nasce ad Amburgo nel settembre del 1933. Di famiglia alto-borghese, trascorre un'infanzia e un'adolescenza privilegiate tra la città natale e la proprietà dei genitori nello Schleswig-Holstein.

Giunto a Parigi nel 1952, decide di dedicarsi alla moda e due anni dopo vince il concorso indetto dall'International Woolmark Prize per un cappotto in seguito realizzato dal *couturier* Pierre Balmain, del quale diventa assistente all'età di ventun anni. Tre anni dopo, è il direttore artistico della maison Jean Patou. Cinque anni più tardi la lascia per intraprendere la carriera di stilista freelance in Francia, Italia, Inghilterra e Germania, disegnando non solo abiti, ma anche tessuti, scarpe e accessori. Collabora con i brand più diversi tra cui Charles Jourdan, Krizia, Mario Valentino e Cadette, e in breve diventa una delle figure di spicco del prêt-à-porter, che ormai è in piena espansione e occupa un ruolo sempre più centrale nell'industria della moda.

Dal 1963 al 1982, e poi dal 1992 al 1997, Lagerfeld disegna soprattutto le linee dei vestiti e degli accessori della maison Chloé, mentre nel 1965, a Roma, ha inizio la sua collaborazione con le sorelle Fendi, che rivoluzionerà il modo in cui si lavora la pelliccia. Un sodalizio che porterà avanti per tutta la sua carriera. Nel 1983 viene nominato direttore artistico per l'insieme delle collezioni haute couture, prêt-à-porter e accessori della maison Chanel.

Tre anni dopo decide di passare dietro l'obiettivo e di realizzare personalmente tutte le campagne pubblicitarie dei brand da lui curati.

Sempre coinvolto in ogni aspetto della moda inclusi i profumi, nel 1975 crea la fragranza *Chloé*, che riscuote un enorme successo: diventa così il primo stilista a lanciare un profumo, senza avere una sua griffe personale. Seguiranno poi, nel 1978, *Lagerfeld pour homme*, nel 1991 *Photo*, altro profumo maschile, nel 1998 *Jako* e nel 2008 *Kapsule*.

Solo nel 1984, lo stilista decide di lanciare una sua linea di prêt-à-porter, di cui si occupa parallelamente al lavoro che svolge per Chanel e Fendi. Nel 1998 il suo brand diventa Lagerfeld Gallery, prima di ridefinirsi nel 2012, sia nel nome sia nella concezione, come Karl Lagerfeld, promuovendo un'immagine di lusso accessibile e acquistabile anche online. Un approccio simile è alla base della *capsule collection* che nel 2004 disegna per la catena internazionale H&M, e che andrà esaurita nel giro di pochi giorni.

Nel marzo del 2014 esce con due nuove fragranze per uomo
e per donna.

Nel 2010 Lagerfeld riceve dal Fashion Institute of Technology
di New York il Couture Council Fashion Visionary Award;
nel novembre del 2012, ai Marie Claire Fashion Awards, viene eletto
lo stilista più influente degli ultimi venticinque anni. Al di fuori
del mondo della moda crea costumi per balletti e opere messi in scena
a La Scala di Milano, all'Opera di Firenze, al Festival di Salisburgo
e all'Opéra di Montecarlo, ma anche per il cinema. È inoltre autore
di numerosi libri fotografici.

Al *couturier* sono stati dedicati tre documentari: *Lagerfeld
Confidentiel*, diretto da Rodolphe Marconi nel 2007; *Un Roi seul*,
diretto l'anno successivo da Thierry Demaizière e Alban Teurlai,
e *Karl Lagerfeld se dessine*, diretto da Loïc Prigent, nel 2013.

Prima della sua morte, avvenuta nel febbraio 2019, Karl Lagerfeld
ha personalmente collaborato alla creazione di questo libro,
il più monumentale dedicato al suo lavoro. Il mondo intero
ha reso omaggio alla sua figura e ai suoi successi. È unanimemente
considerato uno dei nomi più importanti della moda contemporanea.

« TUTTI PARLANO DI CHANEL »

« È come riportare in scena una famosa pièce
teatrale », dichiara Karl Lagerfeld alla giornalista
di moda Suzy Menkes a proposito della sua
primissima collezione per Chanel. « Andrebbe
vista con gli occhi del pubblico originario,
ma anche senza troppa riverenza. È importante
che i giovani scoprano lo stile di Coco Chanel
– e ci vuole anche un po' di divertimento. »

« Non stiamo cercando di ricreare punto per
punto i vestiti di Mademoiselle Chanel sia nella
couture che nel prêt-à-porter – spiega a *Vogue*
il creatore. – Vogliamo seguire una certa
tradizione e, un po' alla volta, introdurvi
dei cambiamenti. Ai suoi tempi Coco Chanel
era molto moderna; vogliamo modernizzare
l'immagine della maison. »

« Di Chanel si era creata un'immagine statica,
basata sulla produzione degli ultimi anni –
dice a *Women's Wear Daily*. – Riesaminando
la sua carriera ci ho trovato cose molto più
interessanti. » La collezione di Lagerfeld, ispirata
alle creazioni di Coco Chanel degli anni '20
e '30 (più che ai suoi più noti modelli degli
anni '50), è sulla bocca di tutta Parigi.
« Tutti parlano di Chanel », scrive *Vogue*.

Il creatore descrive la sua prima collezione
per la maison come « moderna e sexy chic,
non sexy alla Las Vegas ma con proporzioni
nuove, più allungate e sottili. Anche se
[Mademoiselle Chanel] non ha mai fatto
cose del genere, è molto Chanel, non è vero? »

« In questi giorni sono come un computer
connesso in modalità Chanel », conclude.

Presentata all'École des Beaux-Arts, la seconda
collezione haute couture creata da Karl Lagerfeld
per Chanel « verte tutta sul lusso », dichiara
il creatore. Ispirato dalla storia della maison
e dall'incomparabile savoir-faire dei suoi atelier
di haute couture (Lagerfeld ha perfino convinto
uno degli ex sarti di Coco Chanel, ormai
in pensione, a fargli vedere di persona il modo
in cui Mademoiselle tagliava le maniche delle
sue famose giacche – « Sono tagliate in cinque
punti diversi », spiega con ammirazione
a *Women's Wear Daily*), il creatore presenta
oltre cinquanta tailleur in una miriade di colori
e con infinite variazioni di silhouette. Fedele
allo spirito della haute couture, Lagerfeld
sceglie materiali di lusso: panno di velluto, perle
e sontuosi ricami ispirati alla collezione personale
d'oggetti barocchi di Coco Chanel e a ricercati
motivi dei mobili del Settecento.

Lo spirito della collezione è perfettamente
riassunto da *Women's Wear Daily*: Lagerfeld
« prende lo chassis Chanel e lo ricroma: bordi
di pelliccia, gioielli a forma di corona, ricami
evocanti l'arte di Fabergé, chili di catene portate
al collo o alla vita – anche la sua sposa va all'altare
con una giacca d'ermellino Chanel ».

« UN RITMO PIÙ RAPIDO»

Per la sua prima collezione prêt-à-porter
per la maison, Lagerfeld continua a rimaneggiare
e ad affrancare lo stile Chanel adattandolo
a una nuova generazione di donne
e seducendo la stampa.

Suzy Menkes del *Times* descrive la collezione
come « un'abbagliante sfilata Chanel in cui
Lagerfeld ci propone abiti giovani rispecchianti
sia il suo spirito personale, sia l'estetica
di Mademoiselle », mentre *Vogue* dichiara
che « catturando la quintessenza di Chanel
e conferendole un ritmo leggermente più rapido,
il creatore dà nuovo slancio alla moda odierna ».

Il *couturier* utilizza tessuti inaspettati,
in particolare il denim, da cui ricava tailleur
classici, abiti da città e perfino cappelli assortiti
(materiale al quale in seguito tornerà:
v. per esempio pp. 64-67 e 130-135).
Il suo « ritmo più rapido » è illustrato
da completi sportivi, tra cui una tenuta
da motociclista versione Chanel (idea che anni
dopo il creatore rivisiterà v. pp. 300-303).

CAMELIE
E PORCELLANA CINESE

In questa collezione Karl Lagerfeld continua
a reinventare i codici della maison Chanel,
stavolta concentrandosi sui nastri neri
e le camelie bianche (il fiore preferito
di Coco Chanel): i nastri si annodano
in collane, su colletti, bluse e gonne
e si portano perfino come cintura, mentre
le camelie si appuntano su cappelli, scolli,
sciarpe e bandane. Il tailleur Chanel
si allunga, con giacca tagliata all'altezza
dei fianchi e portata su gonne appena sopra
il ginocchio. Per la sera il creatore propone
magnifici abiti lunghi guarniti con ricami
« porcellana cinese » creati da Lesage,
« usciti pari pari da un quadro di Sargent »,
dichiara Lagerfeld a *Women's Wear Daily*.

ALLURE SPORTIVA

Karl Lagerfeld presenta una collezione dalle
linee sciolte, proponendo (a detta di *Vogue*)
« i tailleur-pantalone più graziosi e femminili
di tutta Parigi » e lussuose tenute sportive
reinventate (sulla scia della linea iniziata
nella precedente collezione di prêt-à-porter
per la maison, v. pp. 30-31).

Rifacendosi alle creazioni di Coco Chanel,
che negli anni '20 fu una delle prime
a ideare tenute sportive chic, il *couturier*
crea energizzanti completi da slittino, da sci,
da hockey, da pesca e perfino da caccia.

« Nelle mie ricerche su come Chanel
ha contribuito a modernizzare la moda,
sono stato colpito dal suo modo di creare
le tenute da sport – spiega a *Vogue*. – Penso
di aver fatto quello che oggi avrebbe fatto
lei stessa se fosse ancora tra noi. »

« IL CORPO DEGLI ANNI '80 »

Il tailleur Chanel prosegue la sua metamorfosi
e Karl Lagerfeld ne rivisita le proporzioni
per meglio adattarle alla silhouette delle donne
di oggi. « Il corpo degli anni '80 è molto diverso
da quello degli anni '50 – dichiara a *Women's
Wear Daily*. – [La donna d'oggi] ha spalle larghe,
corporatura longilinea, fianchi stretti e gambe
smisurate. »

I nuovi tailleur disegnati da Lagerfeld
sono guarniti con bottoni dorati extralarge
(in compenso mancano quasi del tutto
le emblematiche bordure della maison),
mentre per la sera il creatore sceglie opulenti
ricami ispirati al sontuoso mobilio dei Romanov
e alle onorificenze zariste.

LA GIACCA « ORIZZONTALE »

Karl Lagerfeld adatta il tailleur Chanel
all'era della minigonna, infischiandosene
dell'avversione di Coco Chanel per le
ginocchia (« Se una donna può mostrare
i gomiti, può mostrare anche le ginocchia »,
dichiara). Trasforma anche quella che
definisce la « giacca verticale » in un modello
più corto, più squadrato e « orizzontale »,
poggiante a « T » su una gonna stretta:
« Una totale inversione del classico concetto
Chanel », spiega. Fatto raro per una casa così
prestigiosa, il creatore propone addirittura
delle t-shirt, trasformate per la sera in
lussuose versioni in crêpe georgette nero
e pizzo. « È senz'altro il capo più facile
da portare – dichiara a *Vogue*. – La t-shirt
è assolutamente moderna. Iniziando
a creare le collezioni per Chanel mi è venuto
in mente di usare dei semplici capi basici
trasformandoli in versioni di lusso.
Quindi, perché non una t-shirt di pizzo? »

ODE A WATTEAU

« Watteau è quanto esiste di più francese »,
dichiara Karl Lagerfeld, la cui collezione haute
couture per Chanel rende omaggio alle opere del
pittore del XVIII secolo, adottando i tenui colori
delle sue feste galanti e ispirandosi ai personaggi
della commedia dell'arte (soprattutto a Pierrot)
che appaiono nei suoi quadri. Sebbene Antoine
Watteau sia rinomato per le sue decorazioni
di stile rococò, Lagerfeld non lo trova « troppo
sovraccarico: osservando con attenzione le sue
opere ci si accorge che sono estremamente
semplici, pure e moderne ». Riprendendo
i costumi dei Pierrot di Watteau, il creatore
rimaneggia le proporzioni del celebre tailleur
Chanel, con spalle cadenti e maniche tre quarti
rigirate (più eleganti nodi e nastri per il tipico
tocco *maison*). Lagerfeld non è il primo a
mescolare l'estetica di Watteau allo stile Chanel:
al Ballo per il Tricentenario di Racine,
organizzato nel 1939 dal conte Étienne de
Beaumont, la stessa Coco Chanel indossava
un costume ispirato a *L'Indifferente* di Watteau,
forse influenzata dal furto del quadro, avvenuto
alcuni giorni prima al museo del Louvre
e ampiamente mediatizzato.

Chanel si innamora a tal punto di questa
silhouette che ne adatta il costume e poco dopo
lo trasforma in tailleur per una delle sue
collezioni (Diana Vreeland l'ordinerà in velluto
di seta rosso rubino, mentre quello di Coco è di
velluto nero). I vestiti da sera, particolarmente
lussuosi, accostano « ricami del Settecento
a gonne da debuttanti degli anni '50 », spiega
il *couturier*: uno stile perfettamente illustrato
dal lungo abito azzurro pallido indossato da Ines
de La Fressange. Propone anche elegantissimi
completi d'ispirazione pastorale, come uno
spettacolare vestito da Colombina color pastello,
ravvivato da una giacca di pelle gialla con cintura,
indossato da Jerry Hall.

GIORNO & NOTTE

« Mi piace usare gli stessi elementi sia per il
giorno che per la sera… Uno stile sportivo per
una serata chic, e viceversa »: così Karl Lagerfeld
spiega a *Women's Wear Daily* il punto di vista
della collezione. Il creatore mescola abiti da
giorno e modelli da sera in varie linee e tessuti,
rivisitando le icone dello stile Chanel per il
giorno e declinandole in eleganti tenute
da sera, in un ambiente che ricorda
l'architettura del 31 di rue Cambon.

I cardigan da sera in crêpe o in jersey di seta
sono portati su lunghe gonne di crêpe nero,
le polo su gonne di mussola di seta, mentre
elegantissime redingote nere fungono
da soprabiti da sera (ovviamente corredati
da bottoni dorati e catene Chanel).
« La redingote è una delle linee più donanti
che esistano, dichiara Lagerfeld a *Vogue*.
Sta bene sia agli uomini che alle donne. »

VITE ATTILLATE

Per questa collezione Karl Lagerfeld si concentra
sul punto vita, mettendo la cintura a quasi tutti
i suoi completi, dall'emblematico tailleur Chanel
ai vestiti bicolori trompe-l'oeil in jersey di lana
che sembrano tailleur, fino agli abiti da cocktail
e ai modelli da sera. Lo stile delle cinture spazia
da sottili catene dorate a larghe cinture nere
matelassé, guarnite da una fibbia dorata spesso
contrassegnata dalla doppia C della maison.

Mettendo a profitto l'incomparabile savoir-faire
degli atelier parigini d'alta moda, il *couturier* crea
tenute da sera con ricche decorazioni, tra cui un
disegno di kilim ricamato su un cappotto con
oltre centonovantamila paillettes cucite a mano
dalla maison Lesage. « Solo Karl Lagerfeld –
dichiara François Lesage alla giornalista di moda
Suzy Menkes – e, di tanto in tanto, anche Yves
Saint Laurent vengono a propormi una loro
personale ispirazione. »

BEIGE & ORO

In questa collezione, presentata in un ambiente
di stile haussmaniano che ricorda la facciata della
maison Chanel in rue Cambon (anni prima che
Chanel erigesse sotto la vetrata del Grand Palais
una copia a grandezza naturale di tutta la strada;
v. pp. 428-431), il tailleur Chanel è reinterpretato
in una versione a tunica con cintura. L'ambiente
è costellato da riproduzioni delle grandi icone
Chanel poste ai lati della passerella: borsetta
matelassé, camelie, decolleté bicolori e perle.

Le lunghe giacche sono portate con semplici
camicie bianche, short da città e gonne dritte,
appena sopra il ginocchio. Prevalgono i colori
simbolo della maison – nero, blu, beige e bianco
– mettendo in valore la massa di bigiotteria
dorata che correda la maggior parte dei completi:
catene d'oro portate al collo o alla vita, bottoni
extralarge, fibbie di cinture e orecchini alla creola
con impressa la doppia C.

BIANCO & BLU

Come nella precedente collezione per Chanel
(v. pp. 52-53), anche in questa sfilata haute
couture presentata all'École des Beaux-Arts,
Karl Lagerfeld propone un'ampiezza di spalle
moderata. « Le grandi spalline sono finite,
il volume sta tutto sui fianchi », spiega
a *Women's Wear Daily*. Ecco come descrive
la silhouette della stagione: « Un busto di nuove
proporzioni, una vita minuta e allungata, grande
volume, gonne lunghe e ampie, colori scuri e il
contrasto tra ultramoderno ed elementi antichi. »

Accessori spiritosi, con braccialetti a ciondoli
guarniti dalla doppia C della maison, orecchini
con appese versioni dorate della borsetta Chanel
o flaconi miniatura di profumo, collane con perle
e catene, e canotier extralarge sormontati da
grandi fiocchi. Tenuto al guinzaglio dalla
proprietaria, la mannequin star della maison Ines
de La Fressange, sfila anche un labrador con un
collare di cuoio matelassé di puro stile Chanel.

L'ABITO NASTRO

Dopo avere spiritosamente aperto la sfilata
con indossatrici vestite "in stile Madonna,
marchese di Sade o Tina Turner", Lagerfeld
rende omaggio allo stile campagna inglese –
adottato dalla stessa Coco Chanel durante
le sue vacanze in Inghilterra e in Scozia –
con dei tailleur-pantalone dalle spalle morbide,
ricavati da tessuti pied-de-poule o quadrettati
e portati con pull di cachemire al posto
delle camicie.

Il *couturier* risuscita anche una delle creazioni
più femminili di Coco Chanel, la *robe ruban*,
che reinventa con piccoli volant di satin nero
assemblati in alto e in basso e accompagnati
da camelie nere assortite.

IL TAILLEUR SENZA BOTTONI

Karl Lagerfeld sfronda il tradizionale tailleur
sopprimendone gli emblematici bottoni dorati.
Ne risulta una leggera giacca sfoderata da portare
quasi come un golf su una camicetta assortita
o su una semplice t-shirt nera.

Per questa sfilata, messa in scena all'École
des Beaux-Arts, il creatore esplora la linea
ad « A » e propone fiammeggianti tenute da sera
tra cui corti abiti guarniti di crinoline a pouf.

Lagerfeld ha voluto dividere la collezione
tra « fantasia e classicità, perché la vita d'oggi
è così ». E applica il principio con tocchi
« chic Cadillac » (per citare l'espressione
di *Women's Wear Daily*) quali, ad esempio,
un abito di pelle guarnito con catene e portato
con una classicissima giacca blu, bianca e rossa
(che in un raptus d'ispirazione Ines de La
Fressange ha finito per lanciare sugli invitati
con tipico gesto rock'n'roll).

TORNA IL *N° 5*

In concomitanza con il lancio dell'Eau de Parfum *N° 5* la collezione rende omaggio a quest'effluvio noto in tutto il mondo. Sosie di Jean Seberg in *Fino all'ultimo respiro* sfilano distribuendo copie dell'*International Herald Tribune* il cui supplemento a colori contiene un articolo scritto da Lagerfeld e una fotografia di Carole Bouquet, la nuova egeria del *N° 5* (nonché star della pubblicità realizzata da Ridley Scott). La cifra portafortuna di Coco Chanel appare, onnipresente, sugli orecchini a forma di grandi « 5 » dorati, su pendenti, su bracciali a polsino e su catene con bijoux portate come cinture.

Il celebre tailleur è presentato in una versione abbinata a strette gonne di lana. Per ravvivare i cappelli, i vestiti in denim bianco, le scarpe basse e gli stivali Lagerfeld sceglie un look a righe bianche e nere, da lui definito « una romanza rock'n' roll ».

Il denim è una delle tendenze *clou* della collezione: il creatore ha ideato berretti da baseball con camelie stampate su questa tela e ampie robe-manteaux anch'esse in denim. « Il denim è il jersey degli anni '80; – dichiara – un materiale destinato ad avere lo stesso successo e a durare altrettanto a lungo. »

« GONNE PARABOLICHE »

Presentata all'École des Beaux-Arts, questa
collezione haute couture sfila in un décor
inaspettato: in fondo alla passerella si erge
una statua d'Ines de La Fressange atteggiata
come *La Libertà che guida il popolo* di Delacroix
o come l'allegoria della *Marsigliese* dell'Arco
di Trionfo, con in una mano la borsetta Chanel
e nell'altra una camelia, contro uno sfondo
di ali e di maestosi drappeggi.

La nuova silhouette creata da Karl Lagerfeld
è altrettanto spettacolare. « La moda è un gioco
di proporzioni », dichiara il creatore a proposito
della sua « mini » giacca tailleur (ristretta
e indossata su dritte gonne in coordinato
scozzese), e di ciò che egli chiama la sua « gonna
parabolica » – abiti da sera corti e piatti sul
davanti, ma alti e voluminosi sulla schiena,
gonfiati da nuvole di tulle o da increspature
a forma di pouf descritte da *Women's Wear Daily*
come « gonne a becco d'anatra ». « Mi piace
il volume grafico – spiega Lagerfeld. – Lì dentro
non c'è niente di rigido. Ci si può giocare,
tagliarlo come si tagliano i capelli… Negli anni
'80 e '90 la haute couture non è roba da museo:
è fatta per la vita, per il piacere, per creare
immagini », conclude.

CACHEMIRE & VINILE

Lagerfeld continua a sconvolgere le convenzioni
con una collezione libera, giovane e irriverente.
Reinterpreta in tweed dai colori vivaci l'emblematica
giacca Chanel, la rivista in pelle matelassé
(con occhiali da sole coordinati) o in cachemire
sfrangiato, abbinandola a brevi minigonne.

I suoi abiti da cocktail, corti e senza maniche,
accostano strisce di vinile nero lucido a spumoso
tulle nero, mentre la gonna Chanel – reinventata
in nuove proporzioni con le tipiche catene della
maison in funzione di bretelle – viene addirittura
portata come vestito. « Mi piace prendere le cose
e usarle in modo inedito », dichiara il *couturier*.

COUTURE OPERISTICA

Ispirandosi ad *Atys*, l'opera composta
nel XVII secolo da Jean-Baptiste Lully
e messa in scena nel 1987 all'Opéra Royal di
Versailles, Karl Lagerfeld ha ideato una delle
più opulente collezioni di haute couture,
arricchita dai lussuosi ricami della maison
Lesage.

Il tailleur Chanel da giorno si declina in una
versione dalle linee ovoidali, con giacche
tagliate alte, vita attillata e fianchi generosi,
da portare su minigonne e corredate
da grandi cappelli rotondi e manicotti
assortiti bordati di pelliccia. Per la sera
Lagerfeld propone tuniche e bustier barocchi
guarniti di ricami dorati, abiti da cocktail
corti con metri di lussuoso tessuto
drappeggiato all'altezza dei fianchi,
e lunghi e stretti abiti-bustier con strascico
dallo spettacolare effetto « Versailles ».

NUVOLE & CAMELIE

Presentata in un décor di nuvole Chanel
color panna, questa collezione di prêt-à-
porter è un'irriverente ode alla camelia.
Rivisitato da Karl Lagerfeld, il fiore preferito
di Coco Chanel finisce su bianche spille
extralarge, su cardigan, su grafiche t-shirt
bianche e nere, su cinture, collane e cappelli.
La camelia ispira anche stampati multicolori
su sfondi a righe bianche e nere che ornano
vestiti lunghi, gonne corte, borsette,
ombrelli e scarpe.

Per il giorno, una serie di pull in cachemire
e di giacche tailleur in tonalità pastello
(queste ultime portate con cappelli
coordinati, borsette miniatura e scarpe
di cuoio verniciato basse, con laccetto),
mentre per la sera vanno in scena corte
gonne gitane arricciate e abiti rosa pallido,
seguiti da eleganti miniabiti di pizzo Chantilly
nero portati con top in cachemire e mantelli
di taffetà.

CAPPELLI TONDI
& GONNE A CUPOLA

Dopo una collezione di prêt-à-porter quanto mai
colorata e spiritosa (v. pp. 76-79), Karl Lagerfeld
presenta una sfilata haute couture dall'eleganza
discreta nelle tonalità nero, blu e bianco –
i classici colori della maison. « Non si può
suonare sempre la stessa musica », spiega
il creatore.

In questa stagione il tailleur Chanel accosta
gonne a cupola, sottilmente plissettate, arricciate
e svasate sui fianchi, a giacche strette che creano
una silhouette facile da portare, ravvivata da
rotondi cappelli extralarge. I vestiti di stoffa
scozzese sono bordati di pizzo per il tocco
romantico, e i tailleur di pallido tweed sono
ricamati con ghirlande settecentesche, listati
in gros-grain.

Per la sera Lagerfeld s'ispira alle opere di Franz
Xaver Winterhalter, pittore di corte del Secondo
Impero, con vestiti a vita alta che lasciano
le spalle nude, e ampie gonne guarnite
da metri di tulle, arricciature e trine.

TWEED & STOFFE SCOZZESI

« Ho eliminato tutti i 'gimmicks' ma non
per questo sarà noiosa », dichiara Karl Lagerfeld
a proposito della nuova collezione prêt-à-porter
per la maison. Ha ideato berretti Chanel, gonne
di stoffa scozzese rossa o verde da abbinare con
top di pizzo nero e corpetti di velluto, e ampi
pantaloni accompagnati da comodi cardigan
di cachemire e sciarpe colorate.

La sfilata riecheggia delle fotografie di Coco
Chanel con addosso i suoi più bei completi
di tweed, durante le vacanze nella campagna
scozzese con il duca di Westminster e la sua
amica Vera Bate negli anni '20. Un omaggio
alla Scozia realizzato molti anni prima della
presentazione della collezione *métiers d'art*
di Chanel a Edimburgo (v. pp. 532-537).

SHAKESPEARE IN VERSIONE CHANEL

Ispirazione elisabettiana per questa collezione
presentata al teatro degli Champs-Élysées.
« Ci sono influssi del XVI secolo e un tocco
di Shakespeare », dichiara il creatore.

Lagerfeld « è rimasto talmente sedotto dalla mostra
L'Âge de la chevalerie (L'Era della cavalleria)
da poco presentata alla Royal Academy di Londra
– spiega *Vogue*– che ne ha tradotto l'epoca
medievale nella sua collezione per Chanel:
un lungo abito da sera sfoggia un decolleté
a forma di cuore, un farsetto di velluto
con ricami a catene dorate è listato con trine
di Bruges ».

Ci sono anche tailleur di nuove proporzioni
(con giacche indossate su lunghe e ampie gonne
nere strette in vita e chiuse da cinture di catene
dorate), corredati da foulard di mussola annodati
intorno al viso sotto al cappello. Per la sera
il *couturier* propone *fourreaux* di mussola neri,
rossi o viola, con plissé, ricami e collarini, tra cui
uno splendido modello di velluto ricamato,
con collo e polsini di spirito medievale, indossato
da Ines de La Fressange.

Intonandosi al tema shakesperiano ogni insieme
porta il nome di un personaggio del Bardo,
e la sfilata si conclude con un'Ofelia
in lungo abito da sposa drappeggiato.

COCO A BIARRITZ

Per questa collezione, ispirata alla Biarritz degli anni '20, Lagerfeld porta Chanel sulla costa basca. Nel 1915 Coco Chanel scopre la celebre stazione balneare e nello stesso anno apre, in una lussuosa villa di fronte al casinò, una succursale della sua casa di moda parigina. Riscuote un immediato successo e ricchi clienti di Biarritz (la città attira gli aristocratici russi fin dall'Ottocento) e spagnoli (la Spagna si mantiene neutrale per tutta la Prima guerra mondiale) si precipitano a ordinare le sue creazioni.

Lo stile Biarritz visto da Lagerfeld (che descrive la collezione come « la Biarritz degli anni '80 ») si traduce in tailleur dalle spalle flosce (« Sono stanco di tutte quelle spalline – spiega a *Women's Wear Daily* – ma non per questo sarà un look noioso… Siamo tutti capaci d'inventare qualche nuovo gadget: è buffo, ma se a ogni nuova stagione tutti si aspettano qualcosa del genere, si finisce per annoiarsi ») con lunghe giacche a vita bassa, portate su ampi pantaloni fluidi o su gonne plissé fino a metà polpaccio, scolli a barca, short larghi e colori molto nautici.

OMAGGIO A NANCY CUNARD

Karl Lagerfeld presenta una collezione fluida
e leggera, ispirata agli « abiti da crociera » degli
anni '30, sottilmente drappeggiati e corredati dai
gioielli indossati da Nancy Cunard, l'inimitabile
ereditiera, scrittrice e attivista politica alla quale
è dedicata la collezione, commenta *Vogue*.

« Tutto è assolutamente aereo, decostruito
e fluido, fluido, fluido », spiega il *couturier*
a *Women's Wear Daily* parlando della sua nuova
« fragile » silhouette. « La linea è leggermente
scostata dal corpo ma senza mai nasconderlo
del tutto – continua – e resta lunga ».
« Tutto è lungo – il corto non mi pareva adatto...
[Ma] la maggior parte delle mie gonne lunghe
giocano con trasparenze e sovrapposizioni. »
Il creatore aggiunge tuttavia una riserva:
« Non sto affermando che il lungo sia il futuro
a lungo termine della moda, perché la moda
non funziona così – dopotutto è questo
che la rende moda. »

Il plissé, destinato a ricomparire nella collezione
successiva (v. pp. 98-101), arriva su gonne
confezionate in tessuti cascanti, quali la mussola
di seta e il crêpe georgette. Gonne e vestiti sono
portati con eleganti scarpe basse e corredati da
cinture (scivolate sui fianchi per creare quello
che *Women's Wear Daily* definisce « punto vita
'illusione ottica': vita alta con cintura bassa »)
o da strass, che Lagerfeld applica su vestiti
da sera di satin o di mussola di seta per fermare
un drappeggio o sottolineare il punto vita.

MINITUNICHE & COLLANT DI LUSSO

Per questa collezione Karl Lagerfeld, abbandonati i pantaloni, preferisce accostare le redingote, i pull trompe-l'oeil e le lunghe giacche tipo cardigan (reinterpretate con il busto « morbido e allungato », le spalle strette e il punto vita fluttuante) a tuniche corte e collant coordinati. Secondo il creatore i collant a costine sono addirittura «i pantaloni degli anni '90 », perché « fanno le gambe più belle dei soliti pantaloni ».

Gli accessori sono onnipresenti: cinture, spille e collane dai dorati anelli a spirale o intrecciati guarniscono camicie plissettate, abiti a vita bassa, e lunghi e corti modelli da sera che mescolano pieghe e drappeggi in tessuti cadenti quali la mussola e il crêpe georgette perché, dichiara Lagerfeld a *Vogue*, « la loro trasparenza mi seduce ».

LA COLLEZIONE INEDITA

Per questa collezione haute couture presentata
al Palais de Chaillot, Karl Lagerfeld si è ispirato
a un modello creato da Coco Chanel e rimasto
inedito, e che era la giacca *clou* della sua
collezione del 1939. Lo scoppio della Seconda
guerra mondiale impedì alla *couturière* di
presentarla.

Dimenticate le giacche diritte e le gonne corte
delle precedenti collezioni, questa versione
della creazione di Mademoiselle, stretta e molto
aderente dalla vita alle spalle, si svasa sui fianchi.
Seguendo le linee del corpo femminile
e adottando un taglio ondulato si rivolge
a donne che «non desiderano somigliare
al loro fidanzato», dichiara a *Vogue* il *couturier*,
e prosegue:«Tutto sta nella *couture*, e questa
è una *couture* d'altissimo livello nel senso del
'su misura'. Non sexy con curve troppo facili,
ma sottile e sofisticata».

Indossati su gonne fluide in mussola e crêpe
georgette, questi modelli si portano bene sia
per il giorno che per la sera («le donne amano
questo stile facile anche nei modelli da sera»,
osserva Lagerfeld) e illustrano il tema "oro"
che attraversa tutta la collezione, dalle giacche
in lamé matelassé ad altre, ancora più lussuose,
in velluto nero coperto di ricami.

CORDAMI DORATI

Per inaugurare il nuovo decennio, Lagerfeld
ha ideato una collezione in nero, bianco
e oro, dalle linee svelte, leggere e disinvolte.
« Negli anni '90 la vita sarà meno formale,
per cui anche i vestiti devono essere diversi
– dichiara a *Vogue*. – In questo momento
i due punti fondamentali nella moda sono
il movimento e la libertà… Il corpo e gli abiti
degli anni '90 sono fondati sulla libertà
di spirito di ciascuno. »

« Finiti gli anni '80 con la loro rigidezza! »,
proclama il creatore, che propone completi
svelti con fluidi drappeggi di crêpe georgette
e mussola di seta. « Niente di più bello
di un tessuto al naturale, senza cuciture.
Ma visto che così non lo si può indossare,
ciò che più gli si avvicina è un semplice
drappeggio sul corpo… La linea è aderente,
ma mai troppo stretta – spiega. – Gioco
sempre sull'asimmetria. »

Le sfumature di bianco, presenti soprattutto
sui tailleur color panna ricamati con perle,
si ispirano agli interni della casa del *couturier*
a Le Mée, presso Parigi dove, rivela *Vogue*,
« ha usato grandi quantità di bianco
alla Elsie de Wolfe e Syrie Maugham
[arredatrici del primo dopoguerra] ».

« Tutto è cominciato dall'acquisto
di due lampade a palma di gesso, create
da Serge Roche e ordinate nel 1935
da Elsie de Wolfe – spiega Lagerfeld. –
In questo momento mi sento portato
verso gli influssi surrealisti corredati
da accenni barocchi. »

Il suo attuale stato d'animo traspare
nelle enormi corde dorate attorcigliate
(evocazione, secondo il creatore, del porto
d'Amburgo, sua città natale, negli anni 1900)
che sostituiscono le tradizionali catene
Chanel trasformandosi in collane, cinture,
braccialetti, cinghie per borse, spille
e spettacolari broche e orecchini,
talvolta guarniti di perle.

LA ROBE-TAILLEUR

La prima collezione di haute couture del nuovo
decennio propone per il giorno una silhouette
grafica con giacche dalle spalle strette, per lo più
in bianco e nero (con qualche tocco di rosa).

Karl Lagerfeld presenta un'innovazione:
la « robe-tailleur » – « una versione più
arrotondata della classica robe-manteau »,
commenta *Vogue*. La linea morbida ma
aderente al corpo, descritta dal creatore come
« modellata », è frutto di un taglio « a cerchio »
con cuciture che « girano intorno al corpo »
per avvolgerlo stretto e che Lagerfeld abbina
a spettacolari cappelli a larga tesa.

I modelli da sera, tra cui dei bustier neri –
di pizzo Chantilly con sovrapposizioni di mussola
assortita – lasciano largo spazio a merletti e
trasparenze e sono corredati con grosse perle
incastonate su larghi bracciali, collane e orecchini
dorati.

LA BORSA RIVISITATA

Karl Lagerfeld reinventa la famosa borsetta
matelassé Chanel rivisitandola in una quantità
di materiali, forme e proporzioni. La sfilata
è decorata da una gigantesca copia
dell'emblematica borsa e i dossier di stampa
distribuiti sulle sedie sono fatti a forma di finte
borse di velluto con catena che sottolineano
il tema della collezione.

Il tradizionale modello Chanel è proposto
in versioni ingrandite, in velluto, in pelle,
colorate o esageratamente lunghe e sottili
(un'allusione alla baguette francese)
e il creatore ne fa addirittura un cappello.

Sulla scia del suo amore per gli spettacolari
bijoux dorati (v. pp. 106-113), Lagerfeld
ha disegnato anelli di catena con incastonate
grandi pietre colorate, appesi alle cinture
ricadenti sui fianchi, nonché braccialetti,
spille e orecchini dorati di forma astratta.

Il creatore presenta anche sofisticati parka
guarniti con bottoni dorati, alcuni dei quali
matelassé, e *duffel-coats* beige in tela di seta
bordati in satin, portati su legging neri.
L'idea del parka Chanel viene da Susan
Gutfreund (donna di mondo e arredatrice
americana), rivela Lagerfeld su *Vogue*.
« La trovo una donna molto elegante.
A Parigi ha indossato per tutto l'inverno un
parka da sci nero sugli abiti da giorno. Mi sono
detto: perché non farne una versione Chanel? »

STIVALI & TAILLEUR

Karl Lagerfeld descrive questa collezione –
filmata dalla maison Chanel nel locale notturno
degli Champs-Élysées in cui è presentata – come
« un incontro tra Madonna e Jayne Wrightsman
[donna di mondo e collezionista d'arte
americana] ».

Il creatore propone tailleur dal taglio impeccabile
e con una nuova linea di spalle, più calata.
« Sono leggermente cadenti e attillati.
Dopotutto la couture è questo, una linea
aderente. E queste nuove giacche sono molto
donanti », spiega a *Women's Wear Daily*.
Proposte in varie lunghezze, sono portate
con gonne corte e, cosa rara per Chanel,
con spettacolari *cuissardes* in tweed, velluto
o con ricami d'oro che nascondono le ginocchia,
secondo Coco Chanel brutte da vedere (uno dei
motivi della sua avversione per la moda delle
minigonne).

Lagerfeld presenta anche abiti da sera in satin
ricamato d'oro e adorni di perle, indossati
su minigonne assortite: « Sono abiti da sera
per feste private, cappotti tipo vestaglia portati
su corti vestiti sexy… L'idea portante è che i due
elementi non vadano l'uno senza l'altro. »

Il fasto dei completi è accentuato da preziosi
bottoni-gioiello (« Sembrano minuscole
uova Fabergé decorate con orologi di smalto.
Un savoir-faire d'incredibile livello », osserva
Lagerfeld) e da spille a forma d'animali –
coccodrilli, tartarughe, api, lucertole –
con incastonati mosaici di pietre colorate
che ricordano i bijoux della precedente
collezione Chanel (v. pp. 114-117).

« SURFER URBANO »

Per questa collezione primavera/estate
dai vivaci colori, Karl Lagerfeld propone
una spiritosa interpretazione dei codici
Chanel: le emblematiche camelie della
maison sono ingrandite, colorate e portate
sui capelli, mentre file di perle multicolori
corredano camicie leggere o cingono alla vita
aderenti legging e short da ciclista.

Onnipresenti le borse matelassé portate
su tutto, dai tailleur cortissimi ai costumi
da bagno e perfino a eleganti calzemaglie.
Lagerfeld propone anche un nuovo look
battezzato « surfer urbano, perché è perfetto
per tuffarsi nella vita notturna da Parigi
a Roma, e da Londra a New York »
(un'ispirazione prefigurante la sua collezione
di prêt-à-porter primavera/estate 2003 per
Chanel; v. pp. 314-315). È « un buon sistema
per accostare la giacca a qualunque cosa,
dai legging a una corta gonna in mussola
di seta... Ho semplicemente ripreso lo stile
sportivo dei surfer rielaborandolo con
lustrini color onde della California.
La tavola da surf portata da Linda
Evangelista serve a dare un pizzico
di umorismo alla sfilata », dichiara a *Vogue*.

I celebri abiti lunghi gitani a volant creati
da Coco Chanel negli anni '30 sono riadattati
agli anni '90 in versioni più sportive e sexy:
le gonne sono legate in vita da grandi nodi
che a fine sfilata le indossatrici sciolgono,
svelando nere calzemaglie.

PERLE, SETE & CINEPRESE

Questa lussuosa collezione di haute couture
lascia largo spazio alla seta, al tulle, alle perle
e ai bijoux, nelle emblematiche tonalità
della maison – nero, bianco e blu –
con qualche tocco di rosa e di giallo.

La sfilata è particolarmente ricca di abiti
e di sontuosi tailleur, incorporanti alcuni
degli elementi già proposti nella precedente
collezione prêt-à-porter (v. pp. 122-125)
e reinterpretati in versione più classica
e haute couture.

Sempre presenti le camelie extralarge, stavolta
appuntate non più sui capelli ma sulle giacche
dei tailleur. Le gonne staccabili ispirano
gonne-grembiule d'organza, qui annodate
sul tradizionale tailleur più che su calzemaglie.
« Io le chiamo gonne cupole volanti – dichiara
il creatore a *Women's Wear Daily*. – Valorizzano
la vita e danno volume ai fianchi. »

Da notare altri tocchi contemporanei, tra cui
gonne plissé con volant di nastri rosa shocking,
battezzate da Lagerfeld « kilt volanti ».
« I tailleur di nastri sono fatti con nastri
a buon mercato di rayon e cotone…
Il cliente paga il savoir-faire »: per fare
un tailleur di nastri con gonna volante occorrono
centonovanta ore di lavoro », spiega a *Vogue*.

Le indossatrici sfilano impugnando cineprese
ultimo modello e una modernissima sposa-
divorziata, impersonata da Linda Evangelista,
chiude la sfilata accompagnata dal « suo »
ragazzino.

« NUOVO RAPPER »

« La nuova regola è che non ci sono più
regole », dichiara Karl Lagerfeld a *Vogue*
a proposito di questa collezione,
da lui descritta come « nuovo rapper ».
« Oggi creare uno stile che abbia successo
richiede un totale ripensamento, in spirito
moderno, degli standard tradizionali – spiega
il creatore. – Dobbiamo riportare la moda
all'avanguardia, con lamé dorato stretch
per il giorno e giubbotti di cuoio da
motociclista su abiti in mussola di seta…
Credo che un pizzico di volgarità con tutti
gli elementi e tutti i mix culturali del mondo
odierno dia alla moda una certa vitalità,
una nuova energia, come un pizzico di pepe
su un piatto insipido. »

I codici della moda di lusso vengono quindi
mandati all'aria in questa sfilata che si apre
su completi in denim con gonne dall'orlo
sfilacciato, tailleur di tweed guarniti di denim
e viceversa, jeans portati sotto abiti da sera
e perfino stivali in denim. « La stessa Chanel
ha fatto cose ben più audaci, come i vestiti
di jersey, un materiale a quel tempo riservato
all'intimo maschile. E perché non il jean?
Lo portano tutti, tranne me », dice Lagerfeld.

Il *couturier* reinterpreta la gonna a nastri
presentata nella precedente collezione haute
couture (v. pp. 126-129) in vari colori
e lunghezze, e creando addirittura suggestive
« gonne » composte soltanto di catene dorate
da portare su un body a rete.

Tra le tendenze *clou* della collezione il cuoio,
con berretti matelassé ispirati ai rapper, bustier,
giacche da aviatore o matelassé portate su abiti
da sera di mussola di seta, faille o taffetà
e stivali da moto.

Lagerfeld presenta anche una quantità
di accessori dorati extralarge. « Negli accessori
il concetto di 'elegante', 'fine' e 'corretto'
va a farsi benedire. Ho voglia di bruciare
i simboli dello stile Chanel – dichiara a *Vogue*.
Prendete metri di catene metalliche e cinture,
e portatele giorno e notte. »

Anche il décor si fa beffe delle convenzioni:
un display elettronico in fondo alla passerella
diffonde messaggi quali « Tweed
Technicolor », « Il tulle non è nullo » e
« Attaccate le cinture », mentre in sottofondo
risuonano *Born to be Wild* e il tema di *Shaft*.

LA FOLLIA DEL TULLE

Presentata all'École des Beaux-Arts, la nuova
collezione Lagerfeld per Chanel è leggera
come una piuma. Rende omaggio a un
tessuto diventato raro, il tulle di seta,
appositamente prodotto per la maison
da un setificio lionese.

Il creatore utilizza metri e metri di tulle
nero per farne giacche, vestiti e cappotti.
« Il suo grande pregio è che, malgrado la sua
leggerezza, tiene un gran caldo, perché è
vera seta », spiega Lagerfeld a *Women's Wear
Daily*, giurando che i suoi mantelli di tulle
drappeggiato sono caldi come pellicce.

« Con tutto questo lieve tulle plissé le mie
clienti si sentiranno in una nuvola », dichiara
il *couturier*, battezzando « ballerina urbana »
la nuova aerea ed elegante silhouette.
« È fatta per la ballerina urbana che scivola
sulla malinconia quotidiana e danza nel
mistero. » Ma anziché scarpette da ballo,
le indossatrici, che sfilano al ritmo di un
rapido remix rap di *These Boots are Made
for Walking*, indossano bassi stivali
di plastica trasparente.

Anche gli spettacolari cappelli creati da
Philip Treacy lasciano ampio spazio al tulle,
talvolta guarniti con piume o con plastica
per originalissime creazioni quali
il « cache-visage Chanel », il « Vickingo »
(dalle corna di piume fermate da due
camelie) e il « trasparente » (con tesa
in plastica trasparente).

« A SPASSO NELLA FORESTA INCANTATA »

Molti anni prima della sua bucolica
collezione (v. pp. 456-459), Karl Lagerfeld
s'ispira alla natura proponendo borse-fungo,
cappelli di paglia con bacche e frutta (creati
per Chanel dal modista Philip Treacy), foglie
di fico dorate (portate sul pube alla Adamo
ed Eva), collane di rami d'albero, mazzetti
di spighe di grano (uno dei simboli
portafortuna di Coco Chanel), ghirlande
d'edera miste a camelie e chi più ne ha più
ne metta. « Tutte cose che fanno parte
della mia passeggiata nella foresta
incantata », dichiara il *couturier*.

Che non per questo dimentica il famoso
tailleur Chanel: « Prendete una giacca corta
e attillata, indossatela su una lunga gonna
stretta e avrete le proporzioni del momento.
Oggi però la si porta con più naturalezza…
con una canottiera da uomo per un look
più disinvolto, in sintonia con uno stile
di vita moderno », spiega Lagerfeld a *Vogue*.

« LA GONNA DISTRUTTA »

In questa collezione haute couture Lagerfeld
sconvolge i codici del classico stile Chanel.
La nuova versione della giacca del tailleur
è aderente, con bottoni extralarge e si apre
per mezzo di una chiusura lampo sulla schiena.
« Con bottoni così grandi è impossibile allacciare
giacche così strette – spiega il creatore a *Vogue*.
– Volevo una linea pura e accostata, con gonne
lunghe che lascino vedere le gambe. »

La silhouette sposa i contorni del corpo:
le gonne si fermano sotto il ginocchio
(« La nuova tendenza è il lungo, in tessuto
stretch… Niente minigonne », dice il creatore)
e si declinano in versioni attillate, con spacco,
con chiusura lampo o anche strappate.
Queste ultime creazioni, battezzate da Lagerfeld
« gonne distrutte » – gonne asimmetriche
di mussola o d'organza tagliuzzate – gli sono
state ispirate da uno dei suoi libri preferiti,
Pleasure of Ruins, della scrittrice inglese
Rose Macaulay.

I classici tessuti Chanel vengono anch'essi
reinventati, con giacche a lustrini colorati,
o lavorate in rafia trattata a tweed, e bordate
da una treccia di cuoio (« una trina di cuoio »,
precisa il *couturier*). Il cuoio sostituisce le
tradizionali catene dorate Chanel in molte
guarnizioni e il denim nei jeans a vita alta.

Scompaiono anche le perle, sostituite
da applicazioni in vetro colorato. La rigorosa
silhouette è ravvivata da cappelli « voluminosi
come nuvole », concepiti da Philip Treacy,
e da scarpe stringate a tacco alto con suole
compensate di sughero.

IL LOOK CUOIO

Sulla scia della precedente collezione Chanel
(v. pp. 148-153) in un'interpretatazione più discreta
e haute couture, Karl Lagerfeld torna a proporre
bottoni extralarge puramente decorativi (molti
suoi tailleur sono provvisti di chiusure lampo
sulla schiena) e, soprattutto, il cuoio.

Scelto nelle tonalità del rosso o del nero, il cuoio
è dappertutto: borse matelassé oversize, lunghi
cappotti, abiti aderenti, gonne diritte, body,
pantaloni attillati e tenute da boxe. Anche
le tradizionali giacche tailleur di tweed sono
reinventate secondo questo spirito, tagliate
in stile Perfecto (e indossate su gonne di pelle nera)
o abbinate a gilet, maniche e risvolti in pelle.

Su sottofondo di musica disco (da Donna
Summer, alle Sister Sledge e agli Abba fino
al tema di *Dynasty* che chiude la collezione),
Lagerfeld fa sfilare anche abiti, camicie e aderenti
pantaloni in seta dorata, portati con giacche
e ampi cappotti a doppio petto in loden,
ispirati alle uniformi militari bavaresi.

GLI ANNI '30 INCONTRANO
GLI ANNI '70

« Jackson Pollock incontra Janis Joplin »:
così *Women's Wear Daily* descrive quest'audace
collezione ispirata agli anni '30 e '70.
« [La collezione] rispecchia lo spirito dei due
decenni – da un lato la noncurante innocenza
degli anni '70, dall'altro il forte espressionismo
degli anni '30 – spiega Karl Lagerfeld a *Vogue*.
– La nostra odierna società, un po' troppo
passiva, è attratta dal prepotente bisogno
d'esprimersi di entrambi i decenni. »

La silhouette in sé resta semplice: « È aderente
al corpo, ma anche ampia e fluida ... Il tocco
di follia viene dagli accessori », spiega il creatore,
che ha chiesto a Philip Treacy di inventare
cappelli che facciano pensare a qualcosa di
« messo insieme da un bambino che gioca »,
portato con giacche dal taglio impeccabile
(redingote, lunghe o corte, diritte o aderenti).
« Le giacche sono le fondamenta, come in una
casa: tutto il resto è in più », dichiara.

I colori esplodono sulle sneaker in tweed,
sulle parrucche laccate dipinte a mano
e sulle borse decorate con bombole aerosol,
per poi culminare in un finale descritto
dal *Sunday Times* come « un montaggio
psichedelico di vestiti e tailleur di velluto
ricamato, decorati con applicazioni
in patchwork » o, secondo quanto dichiarato
da Lagerfeld a *Women's Wear Daily*, in ricami
evocanti « l'interno del tritarifiuti di una
casa di ricchi il giorno dopo Natale ».
« Se non si rischia, ci si annoia », conclude.

L'INTIMO MODA

Per questa collezione Lagerfeld reinventa
l'intimo uomo in stile Chanel – ovviamente
stampato con il logo della maison.
« Le donne si sono appropriate di tutto
l'abbigliamento maschile: quindi, perché
non l'intimo? – dichiara il creatore a *Women's
Wear Daily*. – È molto donante… Bianco,
fresco, pulito… Non ci si può sempre
circondare d'oscurità e malinconia. »

Disegna anche lunghi e scultorei corpetti
ricadenti sui fianchi, portati con corti
bolerini e larghi pantaloni di lino
(questi ultimi ispirati a una foto
di Coco Chanel in vacanza sullo
yacht del duca di Westminster).
« Sono esattamente le tendenze
del momento, realizzate come se oggi
Coco avesse 25 anni », commenta Lagerfeld.

TAILLEUR VS FLOU

Karl Lagerfeld coniuga il piglio romantico
della mussola di seta con tweed leggeri
in una collezione haute couture evocante,
secondo le sue parole, « un lusso casual
e privo di ostentazioni ». È « un misto
di sartoriale e di *flou*, leggere giacche
in tweed indossate su abiti stampati a fiori,
con molti giochi di trasparenze – spiega. –
Ho accostato giacche 'iper-costruite'
e dalla vita sottile, tipiche degli anni '50,
a fluidi abiti 'ipo-costruiti' in voga
negli anni '30. »

Come accessori, pesanti croci incrostate
d'agata o di cristallo di rocca, mentre sulle
tenute da sera appare un tocco inaspettato:
la plastica, trasformata in reggiseni trasparenti,
corpetti a stecche di balena e lunghi grembiuli
guarniti di dorature.

STIVALI & CAMICIE BIANCHE

« Meglio non ispirarsi troppo alla moda
della strada, altrimenti diventa tutto uguale…
L'eccesso di underground è noioso, come pure
l'eccesso di stile borghese – l'idea portante
è di stare esattamente a metà tra l'uno
e l'altro », dichiara Karl Lagerfeld a *Vogue*
a proposito di questa collezione che sfronda
lo stile Chanel classico con una buona dose
d'irriverenza.

Le emblematiche catene e i cardigan sono
sempre presenti, ma abbinati a grandi camicie
bianche portate su legging lunghi (« Sono
semplici, con un che di casual, quasi una camicia
da notte da città », dice Lagerfeld). Il creatore
usa anche il denim, bordato di tweed e stampato
con la doppia C. I decolleté femminili sono
sostituiti da stivali d'ogni tipo, dai Moon Boot
guarniti di pelliccia e catene dorate a stivali
da cow-boy bianchi e neri con il logo della maison.

« [Gli stivali] sono le uniche calzature che
si accordino con le proporzioni del momento
– dichiara il *couturier* a *Vogue*. – Sono perfetti
con i morbidi abiti fluttuanti e con l'attuale
taglio di pantaloni, gonne e vestiti. Adoro
l'allure da moschettiere di una donna coi collant,
una lunga giacca svasata e *cuissardes* a tacco basso. »

« ULTRACORTO »

« La grande sorpresa della stagione
è l'ultracorto », annuncia Karl Lagerfeld.
Dopo avere propugnato gli abiti lunghi
(v. pp. 148-153), stavolta li taglia ben sopra
il ginocchio, proponendo miniabiti e minigonne
in tweed portati su collant pesanti, calzerotti
da marcia e bassi scarponcini in velluto per
un attivo look urbano (premonitori delle scarpe
e calzini che il creatore presenterà nella
collezione prêt-à-porter autunno/inverno
2011/2012 per Chanel; v. pp. 498-501).

« I miei abiti lunghi hanno spesso giocato
con la trasparenza lasciando vedere le gambe
e il movimento – spiega a *Women's Wear Daily*.
– Ma da quando tutti si sono messi a copiarli,
ho dovuto cambiare... Questi completi corti,
portati con scarpe basse e calzini somigliano
più al look di uno scolaro tirolese che allo stile
corto e ipersexy degli anni '80, che andava
di moda insieme alle spalle larghe. »

« Qui gli abiti da sera sono lavorati a maglia,
con guanti assortiti e bei calzerotti da portare
con scarponcini di velluto – commenta il
couturier. – Ci si aggiunge un po' di tulle
o un ricamo discreto, perché la pesantezza
non si accorda con decorazioni troppo ricche:
appena qualche foglia dorata tra i capelli.
Per il giorno ci sono pantaloni drappeggiati
di cachemire o di seta. »

« Perché la haute couture possa sopravvivere,
non bisogna escluderla dalla vita quotidiana,
ma darle lo stesso spirito del prêt-à-porter,
con tecniche e materiali d'altro genere »,
conclude.

« IL NUOVO CORPETTO »

Karl Lagerfeld presenta ciò che egli chiama
« il nuovo corpetto » sottolineante la vita,
« una parte del corpo così bella purché
sottile e ben definita », dichiara a *Vogue*.
Quest'elemento fa parte del « nuovo minitailleur
Chanel a quattro pezzi »: reggiseno (o t-shirt:
le camicie sono bandite), giacca, minigonna
cortissima e corpetto stringivita, il tutto
assortito in tweed di vivaci colori e bordato
da una spighetta intrecciata tipo scoubidou.
« Dopo tanta moda scura si sentiva il bisogno
del colore – [ero] come un bambino che gioca
con la sua nuova scatola di matite colorate. »

Il creatore propone anche t-shirt traforate con
reggiseni incorporati, portate su jeans extralarge
da rapper o su bermuda neri tenuti da bretelle
con il logo Chanel. « È un'eleganza che ha
il suo carattere », commenta.

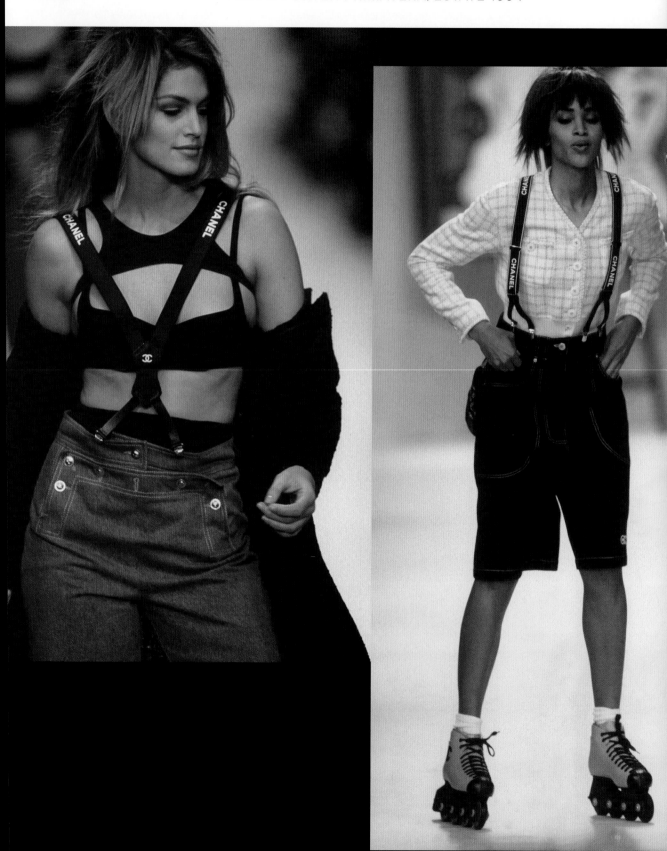

SELLINI & CAPPELLI FANTASIA

Karl Lagerfeld conferisce un piglio surrealista
a questa collezione haute couture, proponendo
grandi copricapi di piume che avvolgono il volto
delle modelle, secondo *Women's Wear Daily*.
« Un casco da moto di piume nere. Con la visiera
calata, si vede quel che c'è fuori senza essere visti,
come le auto dai vetri oscurati », commenta
il creatore.

Il tailleur Chanel è rielaborato in nuove
proporzioni, con gonne molto corte, quasi
interamente coperte da lunghe e ampie giacche
e indossate su semplici camicie di seta bianca.
Giacche morbide « più simili a vestiti che
a tailleur, vagamente ispirate alle lunghe
e setose gonne di crêpe de Chine portate
abitualmente da mia madre », ricorda Lagerfeld.

Abiti da sera stile Impero a vita alta (« come
tacite camicie da notte ») tagliati in tessuti
morbidi e sottili, in cui la mussola di seta
si mescola a corpetti strutturati posti su vestiti
drappeggiati. « Volevo una mussola di seta lieve
come una nuvola, come la bruma che avvolge
Parigi », spiega il *couturier*.

Ispirandosi a delle foto di Coco Chanel
in costume Ottocento con strascico e sellino,
Lagerfeld rivisita quest'ultimo elemento
innestandolo sui suoi abiti, tra cui quello da
sposa. « L'idea portante è di prendere il sellino,
alleggerirlo il più possibile e posarlo su un abito
di mussola semplice, ma dal taglio impeccabile –
ed eccolo moderno », dichiara a *Vogue*.

CINEMA & PELLICCE

Presentata in tempi di massima voga della
pelliccia, questa collezione di prêt-à-porter
reinventa il classico tailleur Chanel bordandolo
con pellicce (sintetiche) dai vivaci colori.
« Un po' di libertà e di fantasia dopo anni bui
in un mondo buio », dichiara Karl Lagerfeld.

Gli accessori, anche se in numero minore
rispetto alle precedenti collezioni del creatore
per la maison (« Questa stagione non avevo
voglia d'accessori »), illustrano un piglio gaio
e spiritoso, dalle cover per smartphone
incastonate di cabochon, ai portabottiglie
fatti con catene Chanel (gli stessi utilizzati
nella scena della lezione di ginnastica in
Ragazze a Beverly Hills).

Anche il décor strizza l'occhio al cinema:
secondo *Vogue*, Lagerfeld « intende tirare
una frecciata a *Prêt-à-porter* di Robert Altman
che sovraespone il mondo della moda mettendo
in scena il proprio cinema-verità sulla passerella,
servendosi di una poltroncina da regista,
di una finta cinepresa e dei riflettori ».

ONORE AL BUSTIER

Il corpetto, già celebrato da Lagerfeld nelle
precedenti collezioni per Chanel, è al centro
di questa collezione haute couture, anche
se stavolta il creatore si concentra sul bustier
e non sullo stringi-vita presentato in una
delle precedenti sfilate (v. pp. 180-183).

« Tutto è impeccabile e molto costruito…
e tutto si basa sul bustier », spiega il *couturier*,
che battezza questa nuova allure « il nuovo
'clean': niente di complicato, niente masse –
tutto in alta definizione, come dicono alla tv. »
« Il bustier sotto la giacca permette un'aderenza
perfetta: una gabbia toracica piuttosto stretta,
maniche ancora più sottili e impeccabili,
minuscole spalle squadrate », spiega a *Women's
Wear Daily*, prima d'aggiungere che « la cosa
non ha niente a che vedere con le maniche degli
anni '80 – risuscitarle oggi non ha alcun senso. »

Lunghe e accostate, le giacche sono portate
su gonne a campana poggianti sui fianchi
e che arrivano appena sopra il ginocchio.
« Non poggiano mai sulla vita, altrimenti
sembrerebbero delle gonne contadine
fuori moda », aggiunge Lagerfeld.

MICROTAILLEUR

Presentata in un décor che ricorda i paesaggi della
Riviera, questa collezione primavera/estate di
Karl Lagerfeld per Chanel è da annoverare
tra le più sexy che abbia mai fatto. Il tailleur
Chanel è stato ristretto, la giacca rielaborata
in versione smilza e corta, con spalle sottili,
e portata su microscopiche minigonne a vita alta,
tagliate sul davanti per far intravedere sottabiti
di tweed assortito, « miniaturizzato e suggestivo »,
commenta il creatore.

A fine sfilata, appaiono trenta cloni di Coco
Chanel con pantaloni di lino a vita alta, grandi
collane di perle, espadrillas bianche e nere,
e turbanti guarniti di camelie. Sono appollaiate
sulle spalle di atletici indossatori, proprio come
Coco Chanel, vestita allo stesso modo, su quelle
di un suo amico, il ballerino Serge Lifar, con cui
fu fotografata nel 1937 durante una vacanza
nel sud della Francia.

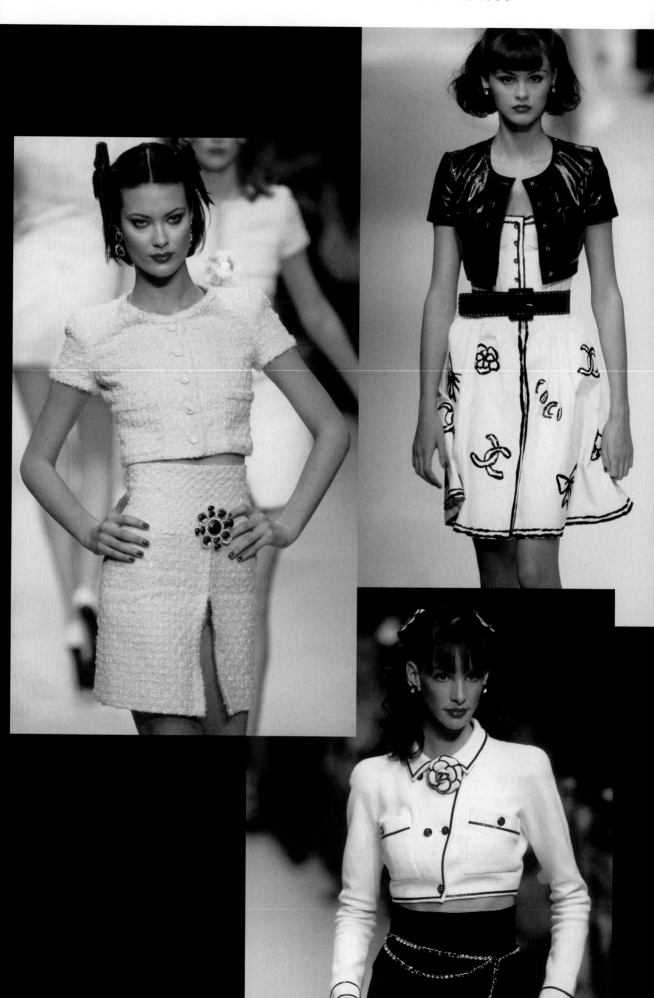

OMAGGIO A SUZY PARKER

« Ho l'impressione che ci troviamo in un
momento favorevole alla haute couture.
Siamo in pieno fin de siècle e ci stiamo
avvicinando alla nostra Belle Époque », dichiara
Lagerfeld a *Women's Wear Daily* qualche giorno
prima della sua nuova collezione, che in effetti
è prevalentemente haute couture.

Ispirandosi in parte a Suzy Parker, una delle
top model degli anni '50, Lagerfeld reinventa
il tailleur Chanel con una silhouette più accostata
al corpo e un lievissimo tocco rétro. Allunga
il corpetto proposto nelle precedenti collezioni
(v. pp. 180-183 e 192-195), rialza la vita e la cinge
a mo' di cintura con un semplice filo di perle.

Domina la collezione il nero – « non un nero
nero, ma un nero chic », scherza il creatore.
Vengono proposti anche lussuosi tocchi nautici,
con top a righe e lunghe gonne che, viste
a distanza, sembrerebbero in jersey.
Questi capi non sono in tessuto stampato
ma interamente ricamati (beninteso dalla
maison Lesage) per creare uno stile
che Lagerfeld battezza « serata in spiaggia ».

MIX DI GENERI

Per questa nuova collezione Karl Lagerfeld
s'ispira all'abbigliamento maschile – proprio
come Coco Chanel a suo tempo – allentando
leggermente la linea della classica silhouette
Chanel e aprendo la sfilata con una serie di
giacche « vestaglia » abbinate a scarpe da uomo.

« È nell'aria del tempo… Non c'è più niente
di proibito », dichiara a proposito del mix
tra femminile e maschile. « Gioco su strutturato
e destrutturato. »Il creatore presenta una
quantità di giacche di vario taglio, portate
su pantaloni ampi, su vestiti e su gonne di
cachemire lunghe al ginocchio. Anche gli
accessori rispecchiano il prisma maschile-
femminile scelto per la collezione: sugli austeri
occhiali da sole spuntano nastri neri e camelie
bianche, mentre la tradizionale borsa matelassé
della maison è reinventata in versione bauletto.

A fine sfilata le indossatrici, coperte di semplici
blouses d'essayage bianche (i camici indossati
dalle modelle durante le prove e i cambi d'abito),
le tolgono di colpo rivelando degli impeccabili
tubini neri.

ABITI-CARDIGAN

Lagerfeld trasporta Chanel in « un geometrico
giardino cubista visto in sogno » che comprende
una vera fontana preannunciante le spettacolari
ambientazioni ispirate ai grandi giardini che
negli anni successivi inventerà per Chanel
(v. pp. 350-355 e 484-487).

Il *couturier* presenta una nuova silhouette tutta
fluidità, battezzata « elegante ultra-allungata…
Più piccola, più stretta, più smilza, più
aderente! » *Clou* della collezione: il nuovo
abito-cardigan che fa anche da tailleur, talmente
accostato al corpo da essere portato sopra il
body-corpetto recentemente creato da Lagerfeld.

« KARL FA UN GIRO
NEL CENTRO COMMERCIALE »

« Karl fa un giro nel centro commerciale »: così
Women's Wear Daily descrive questa collezione
sexy e molto americana che propone completi
in denim dalla testa ai piedi, jogging di velluto
colorato contrassegnati dalla doppia C della
maison (che Iggy Azalea porterà in rosa
nel videoclip della sua canzone « Fancy »,
ispirata al film *Ragazze a Beverly Hills*),
e perfino versioni Chanel dei pantaloni chino.

« Voglio che questa collezione sia una scintilla
di speranza e d'allegria – dichiara Karl Lagerfeld.
– C'è un po' di fantasia, un po' d'ottimismo,
di glamour e di luce… La silhouette è più
accostata al corpo ma le linee sono morbide
e comode. »

Anche le emblematiche bordature della maison
sono reinventate in plastica brillante, con tailleur
da sera in seta avorio bordata da sprazzi di plastica
iridescente gialla e arancione. Lagerfeld propone
anche leggeri abiti estivi con stampate le icone
dello stile Chanel, dal decolleté bicolore alla
borsetta nera matelassé.

CHANEL

31 RUE CAMBON

TRINE & FONTANGES

Presentata non al Carrousel du Louvre,
ma nelle suite al primo piano dell'Hôtel Ritz
per un'atmosfera più intima e in omaggio
al venticinquesimo anniversario della morte di
Coco Chanel (che abitò al Ritz per vari decenni),
questa sfilata propone una serie di lussuosi
e morbidi abiti da sera di pizzo che ricordano
le creazioni della *couturière* alla fine degli anni '30.
« Adoro l'atmosfera di Chanel nel 1938 e 1939 –
spiega Karl Lagerfeld a *Women's Wear Daily*,
– quel modo di giocare col pericolo, quella
frivolezza di fronte al pericolo: è lo chic
in modalità sopravvivenza. »

Il creatore ha ideato dei tailleur-pantalone
leggermente svasati, indossati con giacche
aderenti e stretti alla vita (sottolineata da cinture
gioiello guarnite da fermagli di perle) e ciò
che egli definisce la nuova « spalla affilata ».
Un tailleur « preannunciante il look militare
della prossima stagione – con una spalla
impeccabile, aderente ma non costrittiva »,
spiega a *Vogue* (v. pp. 222-225).

Benché le alte pettinature delle modelle s'ispirino
alla *fontange*, l'acconciatura creata dall'omonima
amante di Luigi XIV alla fine del Seicento,
la collezione è comunque « molto Chanel,
con un pizzico di umorismo e un tocco punk…
È un omaggio, anche se un po' irriverente »,
conclude Lagerfeld.

L'ESERCITO DORATO

Citando tra le sue fonti *You're in the Army Now*
degli Status Quo – « è una delle mie canzoni
preferite – dichiara il creatore – salvo il fatto
che questo qui è un esercito di bellezze »,
Lagerfeld presenta una collezione che coniuga
il taglio rigoroso delle divise militari con la
ricchezza dell'oro. Dorature ovunque, dai lamé
alle cinture ad anelli (presentate per la prima volta
nella sua collezione haute couture precedente;
v. pp. 218-221) a corredo di giacche strette e dalle
spalle ben definite, lane metallizzate color carne,
nonché una serie di capi in velluto nero (tra cui
semplici *robe-manteaux* aderenti al corpo)
che chiude la sfilata.

« Stiamo tornando a un po' più di fantasia –
spiega il *couturier* a *Vogue* – ma le ragazze hanno
un piglio diverso, le proporzioni sono diverse
e anche il contesto… La moda minimalista manca
un po' di humour. I vestiti sono solo vestiti, mica
devono trasmettere profondi messaggi filosofico-
intellettuali. »

RICAMI COROMANDEL

Dopo avervi presentato la sua precedente
collezione haute couture (v. pp. 218-221),
Lagerfeld torna al Ritz (stavolta nelle suite
Windsor e Imperiale) per una collezione
impostata sul « corpo stiletto… con una
silhouette allungata al massimo, che dà
alle donne un'aria infinita, più sottile, leggera,
senza età », spiega a *Women's Wear Daily*.

Questa nuova silhouette, costruita su quello
che il creatore chiama « il tailleur infinito, dalla
giacca che non finisce più » è lunga (fino a metà
polpaccio) e assortita a cappotti alla caviglia.
Ricorda le giacche di Nehru ed è talmente
stretta da essere portata su uno speciale body
nero (battezzato da Lagerfeld « il bel corpo »)
e, fatto raro per una collezione haute couture,
sui legging. « Le giacche sono talmente strette
e smilze che non ci starebbe sotto nient'altro »,
spiega.

Il logo della maison è assente, ma alcune delle
giacche e dei lunghi cappotti sono ricamati
a motivi Coromandel ispirati ai celebri paraventi
(oggetti feticcio della *couturière*), che decorano
l'appartamento di Coco Chanel in rue Cambon.
La sottile silhouette caratterizzante la collezione
è ravvivata da tocchi di volume creati dall'effetto
« finta pelliccia » dei mantelli e delle giacche
a fasce di tulle a *ruches*.

STILE EQUESTRE

Andato in scena all'Espace Branly con un tapis
roulant piazzato in mezzo alla passerella
sul quale le indossatrici sfilano a grande velocità,
il défilé accantona lo stile militare della
precedente collezione prêt-à-porter Lagerfeld
per Chanel (v. pp. 222-225). Il creatore si è
ispirato a una fotografia di Coco Chanel giovane
che la raffigura a cavallo, in camicia bianca,
cravatta nera, cappello a larghe tese e – scelta
abbastanza radicale per una donna dell'epoca –
con dei jodhpur fatti fare da un sarto da uomo.

« Dopo il look militare, ecco il look da scuderia
– scherza Lagerfeld. – L'atmosfera della
collezione proviene da questa fotografia…
Ci sono jodhpur di tutti i materiali possibili,
dalla gabardine stampata alla pelle e al cotone. »

Altro *clou* della collezione il colore, con una
quantità di stampati floreali nelle tonalità
dell'azzurro, del rosa, del giallo e del rosso,
e la sfilata si conclude con un'esplosione
di abiti a lustrini multicolori. « È come del panno
di velluto glacé. Ci sono oltre quaranta abiti di
questo stile, tutti in colori molto freschi e tenui.
Sembra del ghiaccio estivo in uno scrigno
di velluto », dichiara Lagerfeld a *Women's
Wear Daily*.

« ELEGANZA ISTERICA »

Presentata nelle sale del Ritz (nelle suite
Windsor e Imperiale), questa sfilata haute
couture di Karl Lagerfeld per Chanel
è da annoverare tra le più lussuose che abbia
creato. Per la prima volta Chanel correda
i modelli con la sua collezione d'alta
gioielleria, proponendo tra gli altri un
superbo collier « cometa » (indossato
da Kirsty Hume), ispirato alle creazioni
in diamanti di Coco Chanel del 1932
(la celebre collezione « Bijoux de diamants »).

Nel programma del défilé Lagerfeld
annuncia la volontà di portare Chanel
« sull'orlo di una squisita crisi di nervi
del lusso ». « L'idea portante è quella di una
super-raffinatezza ai limiti dell'isterismo.
Un'eleganza isterica, ma dall'andatura
tranquilla e per niente torturata », spiega
il creatore.

« Abbiamo preso la quintessenza di Chanel
e l'abbiamo ingrandita e gonfiata,
rendendola anche molto leggera…
Tutto, dal tailleur ai tessuti, dalle proporzioni
agli accessori, gravita sulla leggerezza.
Nello stesso tempo la silhouette è molto
più esagerata. Le proporzioni dello stile
Chanel sono spinte all'estremo », dichiara.

PONTI & PASSERELLE

Messa in scena su uno scenografico ponte sospeso
la sfilata « Perché un ponte? », è concepita
come una passerella tra « passato e futuro »,
tra « la strada e il salotto » e, sostanzialmente,
tra stile maschile e femminile: un mix di generi
di cui Coco Chanel fu una pioniera.

Lasciati da parte gli emblematici logo, borsette
e bijoux, Karl Lagerfeld crea ampi pantaloni
di tweed, portati con cardigan colorati e maglie
inglesi. Le spalle sono accentuate e gli abiti da
sera guarniti di sontuosi ricami a vivaci colori
ispirati alle opere di Kandinsky. È un « Coco
va a Mosca », dichiara il *couturier* a *Vogue* –
molti anni prima che la maison presentasse
una speciale collezione « Parigi-Mosca »
in omaggio ai suoi atelier (v. pp. 432-437).

FIABE NORDICHE

Lagerfeld rivisita le proprie radici e l'infanzia
trascorsa nel Nord Europa (come tornerà a rifare
molti anni dopo, v. pp. 498-501) in una collezione
dall'atmosfera nordica, citando eclettiche fonti
d'ispirazione che vanno dai cavalieri svedesi del
Quattrocento alla scrittrice danese Karen Blixen,
dall'*Hedda Gabler* di Ibsen ad Andersen fino
al regista svedese Ingmar Bergman.

Presentata negli splendidi giardini del Museo
Rodin, la collezione propone una nuova
silhouette più allungata e si declina nelle tonalità
del grigio e del nero, accostate a colori
« brumosi ». Gli abiti da giorno dalle linee
semplici contrastano con i modelli da sera
ravvivati da spettacolari nuvole di tulle e pizzo,
indossati con monumentali cappelli
« usciti dritti dalle fiabe nordiche ».

« È un po' austera, ma è la modernità mista
alla poesia e a una severa frivolezza... con
un tocco di malinconia originaria del Nord »,
riassume Lagerfeld.

COCO: UNA VITA

Karl Lagerfeld rende omaggio alla vita e alle
creazioni di Coco Chanel in questa collezione
ispirata, secondo le sue parole, alla « sua eredità
spirituale... Significa spiegare ciò che Chanel
ha fatto a suo tempo e di vedere quel che n'è
derivato nel presente ».

Divisa in sei parti, ognuna delle quali dedicata
a circa un decennio della vita di Mademoiselle
(da« Coco prima di Chanel » a « La Coco
romantica e Monte-Carlo » e « Chanel oggi e
domani »), la sfilata rivisita e reinterpreta i grandi
momenti del suo stile, con scarpe a laccetti,
costumi da bagno di jersey ispirati agli anni '20,
romantici abiti di pizzo alla gitana creati dalla
couturière negli anni '30 e, ovviamente, con
il famoso tailleur, qui realizzato in tweed
multicolori tessuti da Lesage.

GARÇONNES & PORTINAIE

Dopo aver presentato la precedente collezione
di prêt-à-porter al Carrousel du Louvre,
Lagerfeld riporta Chanel nei saloni haute couture
di rue Cambon per una sfilata di natura
« più intima e privata, riservata agli happy few »,
dichiara al *Daily Telegraph*.

Ispirata agli anni '10 e '20 (molti modelli da sera
dai ricchi ricami richiamano la silhouette e le
emblematiche linee delle creazioni di Paul Poiret,
mentre i capelli delle modelle sono avvolti
in reticelle alla garçonne ricamate con brillanti
e cristalli), la collezione propone un confortevole
« chic quotidiano ». « Cardigan couture »
di cachemire (fatti in Scozia appositamente
per Chanel) sono indossati su gonne al ginocchio
e corredati da fili di perle per quello che Amanda
Harlech, consulente di moda e amica del
couturier, definisce lo stile « portinaia sciatta ».

COCO A DEAUVILLE

Karl Lagerfeld rievoca lo stile e l'armosfera
della Deauville e della Biarritz di Coco Chanel
tra la fine degli anni '10 e gli inizi degli anni '20,
esplorando una palette di bianchi nautici
e proponendo cappelli a cloche, ampie
e morbide camicie di seta, lunghi cappotti
e tailleur con gonne al ginocchio.

La silhouette chiave della collezione s'ispira
a un libro sulla scultura khmer, con « gabbia
toracica molto aderente al busto e spalle
ben segnate », osserva *Women's Wear Daily*.
« L'effetto ottenuto sembra più fragile
perché le maniche sono quasi più larghe
del busto », spiega il creatore.

La sfilata tuttavia non si limita al passato
e alla storia di Chanel: la celebre camelia
è reinterpretata in neoprene bianco
e la collezione segna il lancio della nuova
borsetta 2005 (illustrazione a p. 259).
Battezzata in omaggio al nuovo millennio
e al numero 5, portafortuna di Chanel,
la borsa ha una particolare forma (ispirata
da un busto femminile capovolto) per aderire
il più comodamente possibile al corpo.
« È leggera come una piuma e fatta per adattarsi
a tutte le curve del corpo », dichiara Lagerfeld.

INFLUSSI GIAPPONESI

Per questa collezione molto zen d'ispirazione
giapponese Karl Lagerfeld porta lo stile Chanel
in Estremo Oriente. Propone una morbida
ed elegante silhouette, che descrive come
« un'evoluzione della linea. Volevo del volume,
ma senza pesantezza: l'impressione del
movimento creato da un soffio di vento. »

I bijoux restano semplici, con linee sobrie
(grandi dischi dorati, croci grafiche, catene
portate a cintura o a collana), e così pure i ricami.
« Quando si creano nuove proporzioni, non
bisogna aggiungerci troppa roba, altrimenti
non si vede più niente… Le altre maison
hanno creato talmente tanti abiti superdecorati
che volevo una ventata d'aria fresca », spiega
il creatore a *Women's Wear Daily*.

COORDINATI SPORTIVI

Dopo un'elegante e sofisticata collezione
haute couture (v. pp. 254-257), Karl Lagerfeld
porta Chanel in tutt'altra direzione, optando
per uno stile decisamente sportivo: giacche corte
e aderenti (alcune in pelle) indossate su lunghe
gonne di satin, atletici costumi da bagno,
sandali piatti o a tacco basso e quasi
nessun logo o tailleur Chanel.

Al posto degli emblematici tweed della maison
il *couturier* esplora materiali quanto mai XX
secolo, quali il neoprene o il misto di nylon
e poliestere, dando ampio risalto alla nuova
borsetta futurista della maison, la curvilinea 2005
(v. pp. 250). Qui il modello viene presentato
in una quantità di colori (verde chiaro, arancio,
rosso e rosa), fungendo addirittura da cuscino
quando una modella in bikini, dopo essersi
tolta l'accappatoio, si stende a prendere il sole
in mezzo alla passerella costruita nell'Opéra
Bastille.

TAILLEUR MORBIDI

Quasi sparito dalla precedente collezione
di Karl Lagerfeld per la maison (v. pp. 258-259),
il tailleur Chanel ritorna in proporzioni
rinnovate, con giacche corte e strette portate
su gonne larghe e su ampi pantaloni lunghi.
« La mia collezione è precisa come
un'incisione e morbida come uno schizzo:
lo spirito è questo – dichiara Lagerfeld
a *Women's Wear Daily*. – In un medesimo
completo il corpo è ben definito nella parte
di sopra, ma sotto la vita e all'altezza
delle gambe la forma si ammorbidisce,
si addolcisce. È un alternarsi di caldo
e freddo. »

Secondo la tradizione della haute couture
i capi sono realizzati in lussuosi tessuti,
ravvivati da un raffinato lavoro di ricami
e presentati in tenui sfumature di rosa,
grigio e bianco sporco « per Chanel
completamente nuove », commenta
il *couturier*.

SI ENTRA NEL XXI SECOLO

Karl Lagerfeld si accomiata dal XX secolo
in grande stile e senza nostalgia. Oltre
settanta indossatrici sfilano su una passerella
con stampigliate a caratteri cubitali le date
1999-2000, presentando una collezione
che, pur rendendo omaggio alla tavolozza
bianco-nera della maison, appare
decisamente rivolta al futuro.

Descritta da *Women's Wear Daily* come
un incontro tra « il tema dell'era spaziale
e quello del gotico », la sfilata si concentra
sulla silhouette sviluppata dal creatore nelle
sue ultime collezioni (giacche e top corti
e stretti su ampi pantaloni o gonne larghe)
per proporre una moderna versione del
tailleur Chanel. « È la mia interpretazione
di quello che oggi dev'essere il simbolo
di Chanel: l'agio », dichiara a *Vogue*.

GEOMETRIA HAUTE COUTURE

Strutture impeccabili e ingannevole semplicità
dominano una collezione che, secondo
il giornalista di moda Colin McDowell,
« rivisita lo stile Cardin e Balenciaga anni '60 ».
Molti tailleur di tweed hanno « un'apertura
nascosta » lungo la cucitura delle spalle per
eliminare bottoni e massa (« Ho fatto una cosa
un po' alla Einstein », spiega Karl Lagerfeld
a *Women's Wear Daily*).

I tagli impeccabili sono ravvivati da macchie
di colore (come il rosso vivo o il rosa shocking),
da raffinati ricami realizzati da Lesage, Montex,
Hurel e Lanel, e da tocchi fantasia come le
pettinature a spiga di grano o i modelli da sera
tagliati a trapezio (tra cui uno spettacoloso
abito matelassé).

EFFETTO MATELASSÉ

Presentata in un monumentale décor
con ben quattro passerelle (due blu elettrico
e due rosa squillante) lunghe « quasi come
un campo da calcio », secondo *Women's
Wear Daily*, la collezione proposta
da Lagerfeld è ricca di imprimé floreali
e di vivaci colori: blu, giallo, rosso e verde
che verranno ripresi nella successiva
collezione per Chanel (v. pp. 272-275).

Ma il *clou* della sfilata è l'effetto matelassé
– uno dei codici della maison reso famoso
dall'emblematica borsetta 2.55. Rielaborato
ed enfatizzato da grandi riquadri che
ricordano le tavolette di cioccolato,
si trasferisce su top senza maniche,
giacche corte, miniabiti e, grande novità,
su voluminosi guanti con borsette assortite.

COLORATISSIMA

Per questa collezione haute couture presentata
su una passerella a spirale piazzata in un centro
equestre del Bois de Boulogne, Karl Lagerfeld
lascia ampio spazio al tailleur e ai colori vivaci.
La collezione annovera « solo » cinquantotto
completi, « ma ne avrei potuti aggiungere molti
di più – dichiara il creatore a *Women's Wear Daily*
– perché le nostre numerose clienti non fanno
che chiedere tailleur, tailleur e ancora tailleur ».

Stavolta i tailleur in questione hanno grandi
gonne larghe, una silhouette ispirata da una
voglia di « volume in movimento – dichiara
Lagerfeld. – Non si possono fare sempre gonne
strette – aggiunge, precisando comunque che –
non è il New Look », anche se la silhouette
può ricordare lo stile anni '50 creato da Christian
Dior e denigrato da Coco Chanel, che l'accusava
di impedire alle donne di muoversi liberamente.
La pettinatura delle indossatrici è invece
nel più puro stile Chanel, con chignon
acconciati a forma di camelie – allusione
al fiore preferito di Mademoiselle.

UN INVERNO IN BIANCO

Dopo varie collezioni senza perle,
Lagerfeld ritorna a quest'icona Chanel
realizzandone una versione extralarge
e assemblandola in collane portate su
cappotti matelassé o su completi da sci,
usandola come cintura su gonne bianche
finemente plissettate e mescolandola a sciarpe.
« Le perle fanno parte del patrimonio Chanel –
dichiara il creatore – ma vanno anche aggiornate
per evitare il noioso cliché *bon chic bon genre*. »

Basandosi sull'impeccabile savoir-faire
della maison in materia di tailleur, Lagerfeld
presenta una serie di sottili ed eleganti
cappotti indossati su gonne e vestiti.
L'effetto matelassé emigra dalla celebre
borsetta 2.55 su maglie e collant proposti
nelle tonalità invernali del grigio, beige,
prugna, verde e marrone.

CHEZ RÉGINE

Per la prima volta nella sua storia la maison
esporta la presentazione della sua collezione
crociera dalle sale di rue Cambon o dalla piazza
del mercato Saint-Honoré, organizzando uno
« show » in grande scala da Régine, il night-club
parigino fondato negli anni '70 e rinomato
per la sua clientela jet-set.

Descritta da *Women's Wear Daily* come « fresca,
disinvolta e incantevole », la collezione lascia
largo spazio alla robe-chemisier, presentata
in una rilassata versione di cotone a righe
e corredata da cappello assortito, sandali
a lacci e una quantità di bracciali dorati.

Il tailleur Chanel è reinterpretato in una leggera
versione estiva da portare con camicie a volant
e grandi occhiali da sole, mentre una serie
di minigonne di lamé dorato riecheggia
l'atmosfera festiva della collezione.

TWEED ELETTRICI

Sfilando intorno alla piscina Keller, nel XV
arrondissement di Parigi, sotto il vigile
sguardo di bagnini in t-shirt targate Chanel,
le indossatrici presentano una collezione ricca
di colori e contrasti. Abbandonata la tradizionale
palette bianco-nera, Karl Lagerfeld rivisita
la colorata atmosfera della sua precedente
collezione haute couture (v. pp. 272-275):
rosa acceso, verde elettrico, tonalità metalliche
brillanti, tailleur di tweed viola portati con boa
giallo canarino – perfino labbra e palpebre
si colorano di verde e di blu.

Anche il tailleur Chanel trova nuove proporzioni:
la giacca è più lunga, con la vita bassa che
estende il busto, ed è portata con stivali
« acquatici » di PVC e plastica trasparente,
stole di tulle lanuginoso e cinture metalliche
a vivaci colori.

A TUTTO TONDO

Karl Lagerfeld ha proiettato Chanel
nel XXI secolo con una valanga di colori
e questa collezione, l'ultima tenuta nel 2000,
non fa eccezione: nel Carrousel du Louvre
le modelle, vestite di rosso, rosa, azzurro,
corallo e viola, scendono una grandiosa
scalinata di neon multicolori.

A unificare la collezione è il motivo del cerchio:
impresso sugli abiti colorati e sui collant,
ricamato su chemisier trasparenti, su gonne
e vestiti, ispira anche la nuova borsa della maison.

« Volevo vedere le indossatrici camminare in
piena luce tra tutti gli elementi Chanel remixati
per l'anno 2001 », dichiara il *couturier*.
« Coco » impresso non solo sui veli di tulle
ricamato (veli che torneranno, senza più
il logo, nella successiva collezione Chanel;
v. pp. 288-291), ma anche sui mezziguanti
e sulle (false) unghie, coperte da uno smalto
decorato a schegge di diamante, appositamente
prodotto per la sfilata.

PERLE & VELI

Per questa monocroma e quanto mai
femminile collezione haute couture, che sfila
su una passerella bordata da una grande catena
intrecciata, Karl Lagerfeld s'ispira alle creazioni
anni '30 di Coco Chanel. Le gonne flamenco
riecheggiano i lussuosi abiti gitani ideati
da Mademoiselle per accompagnare i suoi
celebri vestiti da sera in trina, di cui il creatore
reinterpreta lo spirito scegliendo tessuti
trasparenti guarniti di ricami e lustrini.

Il tailleur Chanel è rivisitato in morbidi
completi orlati da impeccabili bordature,
ravvivati da file di perle, da cinture gioiello
e da guanti di pizzo, mentre sottili veli
guarniscono canotier e chignon annodati
lateralmente per dare più volume alla silhouette.

COCO POP

In questa spiritosa e inventiva collezione
Coco Chanel incontra l'icona della pop art
Roy Lichtenstein. Karl Lagerfeld reinterpreta
alcuni dei più bei ritratti di Mademoiselle Chanel
(tra cui fotografie di Man Ray e di Horst P. Horst)
alla maniera del pittore americano, con colori
e fumetti enuncianti una frase prestata
alla *couturière*: « Solo una goccia di *N° 5* ».

Queste creazioni guarniscono top a righe colorate
(versione Chanel del look « sport invernali »)
e brillanti pochette nere, mentre la doppia C
appare ovunque, dai manicotti di pelliccia
ai copri-orecchie, ai braccialetti e alle collane.

Fa la sua apparizione anche la renna (allusione alle
magnifiche sculture di una cerbiatta e di un cervo
che si trovano nell'appartamento di Coco Chanel),
danzando sui colletti di pelliccia o trasformata
in spille appuntate su pullover, camicette e vestiti
stampati con un nuovo motivo di catene.

BALLERINA

Dopo aver portato Chanel da Régine, la celebre
boîte parigina (v. pp. 278-279), Karl Lagerfeld,
memore forse della passione di Coco Chanel
per la danza, si volge al balletto con un omaggio
all'eleganza dei ballerini classici. In gioventù la
couturière aveva seguito con entusiasmo i corsi
dell'eccentrica e radicale Caryathis, frequentando
regolarmente, agli inizi degli anni 1910, lo studio
della danzatrice in rue Lamarck sulle alture
di Montmartre. In seguito creò vari costumi
per i Ballets russes di Serge Djagilev, stringendo
amicizia con molti ballerini, tra cui Serge Lifar.

È quindi in uno studio di danza classica
alla periferia di Parigi che il creatore presenta
ampie gonne plissé, top trasparenti, eleganti
legging, cinture-nastro a tenui colori, scarpette
da ballo blu o rosa (con tacchi e nastri di satin
alla caviglia) e volant di tulle: la ballerina
reinventata nel più puro stile Chanel.

PANTALONI COUTURE

Per la nuova collezione presentata nel cortile
del liceo Buffon, costruito a fine Ottocento,
Karl Lagerfeld offre un'interpretazione quanto
mai pura e haute couture dello stile Chanel.
Lascia ampio spazio a materiali di lusso: tweed,
seta, lana e ricami in sobrie tonalità autunnali.

Al centro della collezione, i pantaloni,
presenti in tutti i completi d'ogni taglio
e tessuto: abiti da ballerina di mussola di seta
sono portati con pantaloni assortiti dello stesso
tessuto, mentre i tailleur-pantalone di lana
bianca sono corredati da larghe cinture con
fermagli gioiello e da pesanti anelli d'ambra
e d'oro.

La munificenza della collezione appare
evidente nei bijoux e nei sontuosi ricami
che guarniscono cappe, tuniche e abiti da sera:
un omaggio ai codici inventati da Coco
Chanel, il cui celebre nastro e il taglio
alla garçonne hanno ispirato la pettinatura
delle indossatrici.

VELOCITÀ & ROMANTICISMO

Presentata su una lunga passerella in plexiglas
che si snoda attraverso il Carrousel du Louvre,
questa collezione dal ritmo veloce è tutta energia
e rapidità. La apre un nuovo look « centauro »
in pelle rossa e azzurro polvere portato
con giacca di cuoio, pantaloni zippati, collana
cronometro, basket bicolori, guanti da corsa
e casco assortito, targato con la doppia C
della maison.

Il matelassé della celebre borsetta 2.55
si trasferisce su corte giacche sportive,
minishort e stivali di cuoio, mentre la seconda
parte della collezione propone romantici
completi femminili in nero, bianco e oro,
con giochi di trasparenze che aggiungono
un tocco sexy.

UN BOUQUET DI CAMELIE

Per questa collezione, omaggio al fiore preferito
di Mademoiselle Chanel, la casa di moda
si è costruita una serra in mezzo al giardino
delle Tuileries, spargendo migliaia di camelie
sulle panchine, per terra e sulla passerella.

Come la redattrice di moda immortalata
in *Cenerentola a Parigi* di Stanley Donen
con Audrey Hepburn, Karl Lagerfeld potrebbe
cantare *Think pink*. Il creatore si è lasciato
sedurre non dal « rosa shocking » di Elsa
Schiaparelli, ma da tenui tonalità di questo
stesso colore, punteggiate da sprazzi neri e viola.

Le modelle, con copricapi a forma di camelia,
indossano morbidi tailleur, stretti cappotti
e *robes-manteaux* con diafane sottogonne
(per aumentare il volume) e veli di tulle
(con delicati effetti di trasparenza). Chiudono
la sfilata un abito da sposa rosa pallido
mozzafiato – con corpetto di mussola
di seta finemente plissé e una grande
sottogonna velata d'organza, guarnita
da una cascata di petali.

ELEGANZE ROCK

La collezione sfila al ritmo del gruppo elettro-
rock belga Vive la fête presente con motivi tipo
una ripresa techno di *Je t'aime... moi non plus*
di Serge Gainsbourg e Jane Birkin. Karl Lagerfeld
è stato colpito dalla bionda e carismatica cantante
Els Pynoo: « Adoro quella ragazza, potrebbe
essere una nuova Blondie – non che quella
di prima non mi piaccia! »

Quest'atmosfera sexy e rock'n'roll s'intona
a una collezione che reinventa gli elementi chiave
dello stile Chanel per situarli in un contesto
rock – dallo stile bohemien ai look gotici
o heavy metal – con, a tratti, un tocco
di rivolta adolescenziale.

Lunghe extension fatte di catene metalliche,
giacche di pelle da motociclista sbottonate
che lasciano intravedere top di pizzo, minishort
coperti di lustrini e stivali di cuoio nero:
anche il famoso tweed Chanel si reincarna
in versione metal e la celebre giacca del tailleur
si trasforma in una smilza minigiacca frangiata
e scintillante, indossata a pelle.

CAFÉ MARLY

Anni prima della brasserie Gabrielle (per la quale
Chanel crea un proprio caffè in grande scala,
v. pp. 602-607), Karl Lagerfeld trasporta Chanel
al Café Marly – una brasserie chic con dehors
sulla piramide del Louvre, per una collezione
crociera davvero speciale.

In omaggio all'eleganza dell'uniforme bianco-
nera dei camerieri francesi, il creatore presenta
una tavolozza monocroma con abbondanza di
rigorose camicie bianche indossate sotto gilet
neri dal taglio impeccabile (in una lussuosa
versione a lustrini), grandi gonne bianche
o lunghi grembiuli e, naturalmente, le file
di perle care a Chanel.

ELEGANZA EDOARDIANA

Presentata nei da poco rinnovati saloni
haute couture di rue Cambon, la collezione
si concentra sui tailleur ed è « tutta contrasti:
serenità e frivolezza, vizio e virtù, sacro
e profano », dichiara Karl Lagerfeld.

La celebre giacca tailleur adotta una linea
aderente al corpo e allungata, con maniche
strette e un alto colletto di pizzo – silhouette
che ricorda lo stile edoardiano e gli abiti da
cavallerizza dell'Ottocento. Le giacche si portano
su voluminose gonne orlate di volant di tulle
ricamati e guarniti di lustrini, mentre gli abiti
da sera a vita bassa rievocano lo stile garçonne
degli anni '20.

Gli austeri abiti neri o grigi dal taglio impeccabile
fanno risaltare i raffinati ricami, le sottogonne
imperlate, le delicate calze a rete guarnite
di scintillanti paillettes e le scarpe a laccetto
con perle dorate: da cui la scelta di presentare
la sfilata in un ambiente più tradizionale.
« Questa è una collezione molto couture
e volevo che la gente potesse vederla da vicino.
In uno spazio più vasto si sarebbe persa.
Avevo voglia di qualcosa di più intimo,
di una vera presentazione haute couture »,
dichiara il creatore.

PRONTE PER IL SURF

Sfilando su una squillante passerella geometrica, la collezione rivisita la passione di Coco Chanel per i temi nautici, con giacche leggere (coperte di perle o listate con applicazioni di cristalli), ampi pantaloni palazzo, lunghi abiti prendisole con bikini assortito e con mini-tuniche, una delle tendenze *clou* della stagione.

Proposta in una tavolozza monocroma, la collezione è decisamente giovane e attiva. Alla fine della sfilata il décor svanisce lasciando il posto a un canotto pneumatico con impressa la doppia C della maison, mentre sulla passerella scende una squadra di surfiste Chanel in costumi da bagno sexy, alti bandeaux e minishort corredati da file di perle, camelie, borsette sportive, stivali di gomma, aquiloni e tavole da surf. « Oggi tutto tende allo sportivo, no? », commenta Lagerfeld.

UNA COSTELLAZIONE COUTURE

La nuova collezione Chanel dedicata ai *métiers d'art* si apre nei saloni haute couture di rue Cambon con una presentazione di carattere intimo, battezzata « Satellite Love ». Questa sfilata in edizione limitata, comprendente non più di trenta capi, è un omaggio di Karl Lagerfeld allo straordinario savoir-faire dei cinque atelier (da lui battezzati « satelliti »), recentemente rilevati dalla maison: la collezione rappresenta « il nostro impegno nei confronti di ditte con cui condividiamo da lunga data gli stessi elevati standard di qualità, esclusività e innovazione ».

La costellazione comprende Desrues (esperto nel settore bijoux fantasia e da decenni specializzato in catene, collane, cinture, spille e fermagli Chanel), Lemarié (alias « il signore delle camelie », per piume e fiori artificiali), il famoso ricamatore haute couture Lesage, il calzolaio Massaro (familiare della maison dal 1957, data di nascita del famoso sandalo bicolore creato da Mademoiselle Chanel) e la modisteria Maison Michel (fondata nel 1936 e fornitrice delle più grandi case di moda).

« FRAGILITÀ »

Questa diafana collezione haute couture, che
segna il ventesimo anniversario di Karl Lagerfeld
da Chanel, è imperniata sulla « fragilità: tutto
è leggero, quasi imponderabile », dice il creatore.
Sono più aerei perfino i famosi tweed della
maison, destrutturati prima di essere cuciti
sul tulle, mentre orli e polsini evaporano
in nubi di tulle e di ricami sfrangiati.
Sono « leggeri come piume. Si potrebbero
appallottolare tra le mani », dichiara
Amanda Harlech, consulente di moda
e amica di Lagerfeld.

La silhouette, coronata da originalissimi
canotier a mezza tesa, è aderente: tanto per fare
un esempio, i cappotti di tweed si ispirano alle
linee di un mantello da maharajah, la palette
mescola al bianco e nero caro a Chanel i colori
pastello dei *fondants*, mentre Lagerfeld continua
a giocare sulle trasparenze: « moderne, suggerite,
ma mai del tutto trasparenti », precisa.

« WHITE LIGHT »

« White Light » (« Luce bianca »): questa
collezione interpreta un guardaroba invernale
tutto giocato sul bianco e nero, con sottili
silhouette in tweed e cuoio. Stivali bianchi
con tacco « era spaziale » e gambali sopra
il ginocchio (alcuni in cuoio per un look
motociclista) aggiungono una nota sexy,
e Lagerfeld rende omaggio alla couture
con spiritosi accessori quali collane di fibbie
e fermagli giganti.

Il *couturier* accentua il mix, caro a Chanel,
tra stile maschile e femminile (sottolineato
dalla scelta di *Girls and Boys* dei Blur che
accompagna la sfilata) con una serie di
sportivissimi completi da sci.

Il tradizionale tailleur di tweed si reincarna
in una versione con corta minigonna e si correda
di colorati ricami ispirati alle composizioni
suprematiste degli anni 1910 di Kazimir
Malevich.

ROSA BONBON

Lagerfeld presenta una collezione crociera
tutta zucchero. Imprimé con disegni di gelati
decorano top leggeri, gonne, vestiti che
lasciano scoperta la schiena, borse da viaggio
e pareo, mentre il tailleur Chanel è rivisitato
in colori aciduli quali il rosa bonbon, il giallo
limone e il verde pistacchio.

I ludici completi sono corredati da una valanga
di accessori: cappelli a cloche anni '20, sandali
con tacco, occhiali con lenti rosa trasparenti,
cappelli da sole di cotone, orecchini a stella,
cinture gioiello e spille a cuore con la doppia
« C ».

REGINA DELLE NEVI

In un seicentesco convento parigino Lagerfeld
rivisita il Medioevo e i suoi monasteri attraverso
il prisma del lusso haute couture, aggiungendoci
una nota futurista. La collezione si sviluppa
tutta in volume: come in quella precedente
(v. pp. 318-321), i tweed sono destrutturati
prima di essere cuciti sul tulle. L'onnipresente
pelliccia – zibellino, ermellino e spettacolosi
colletti – conferisce un prezioso tocco invernale,
corredata da calotte di pizzo o di pelle in spirito
medievale, mentre le lunghe maniche, i fili
di jais e le larghe cinture guarnite di bijoux
introducono una dimensione gotica.

Il nero regna sovrano finché non arriva l'ultimo
modello della collezione: Linda Evangelista
appare in un candido e abbagliante abito da
sposa da « regina delle nevi », con gonna in tulle
a volant portata su pantaloni stiletto, una larga
cintura finemente ricamata, calotte di lustrini
e un voluminoso velo che sembra una nuvola.

ACCESSORI MUSICALI

Per l'estate Lagerfeld propone una collezione
giovane ed energetica con indossatrici che sfilano
su una passeggiata di legno bianco al suono
dei successi dei Blondie, gruppo cult anni '70.
I codici Chanel sono reinventati in modo
inatteso: le camelie appaiono su maglie bianche
e nere, le lunghe collane non sono fatte di perle
ma di mini dischi in vinile contrassegnati dalla
doppia C, la borsetta si reinventa in versione
« registratore »: « È lo stile Chanel, ma easy,
femminile ma giovane », – spiega Lagerfeld
alla giornalista Sarah Mower.

Al centro della collezione i celebri tweed
della maison declinati in morbidi colori pastello
e trasformati in trench-coat bordati di tweed,
appositamente tessuto da Lesage: « Non so
come ho fatto a non pensarci prima. Una cosa
così semplice: si prende il trench-coat, lo si
borda e solo a vederlo si capisce subito
che è di Chanel », commenta il creatore.

ODE AL SAVOIR-FAIRE

Dopo il « Satellite Love » dell'anno precedente
(v. pp. 316-317), Chanel presenta la sua seconda
collezione dedicata allo straordinario savoir-faire
dei cinque atelier di *métiers d'art* rilevati nel
2002: Lesage, leggenda vivente nel mondo della
haute couture (« Per me non esiste haute couture
senza ricami », dichiara Lagerfeld), il creatore
di piume e di fiori artificiali Lemarié, il modista
Maison Michel, il calzolaio Massaro e il parurier
(*ideatore di accessori*) Desrues, storici fornitori
della haute couture parigina (e tra i pochi
sopravvissuti nel XXI secolo).

Ambientata nell'intima atmosfera di rue
Cambon, la collezione si svolge al suono di un
concert live della cantante Dani (« Volevo
un ambiente da *boîte de nuit,* tipo bal Tabarin
di una volta », dice il *couturier*) e vede sfilare le
mannequin più famose del mondo (tra cui Linda
Evangelista, Naomi Campbell, Eva Herzigová,
Carla Bruni, Laetitia Casta e Nadja Auermann),
che danno vita agli straordinari capi di questa
edizione limitata. « Sono dei coordinati di gran
lusso, creazioni a metà strada tra la haute couture
e il prêt-à-porter, rispondenti alla continua
richiesta di modelli originali durante tutto
l'anno », spiega Lagerfeld.

LA DUALITÀ DEI CONTRASTI

La nuova collezione d'alta moda di Lagerfeld per Chanel, coniugante decorazioni haute couture e taglio impeccabile, s'intitola « La dualità dei contrasti ». « Un paradosso, un misto di severità e frivolezza... il sexy moderno sta proprio in quest'ambiguità », spiega il creatore, aggiungendo di aver voluto una collezione che si distinguesse per « un piglio tipicamente francese, quale può averlo solo uno straniero ».

Dominata da una palette bianco-nera tutta contrasti, la collezione propone austere giacche di tailleur indossate su gonne a frange o a volant e su aeree camicie abbinate a gonne dritte dal taglio rigoroso. Una vetrina ideale per esibire il talento dei due laboratori che collaborano alle collezioni haute couture: l'*atelier flou* (cucitura) e l'*atelier tailleur* (sartorialità), nonché quello dei *parurier*, creatori dei sontuosi ricami e dei bijoux Chanel Joaillerie che accessorizzano le tenute da sera.

« COCO LI HA RUBATI AGLI UOMINI »

Lagerfeld sceglie il mix maschile-femminile per
« Coco li ha rubati agli uomini », una collezione
presentata su una passerella d'asfalto con tanto
di Senso unico, in omaggio ai molti elementi
che Coco Chanel ha tratto dall'abbigliamento
maschile reinterpretandoli per le donne.
« Mi piace molto che ragazzi e ragazze
si scambino jeans, giacche e t-shirt »,
dichiara lo stilista.

Proponendo giacche di pelle, cardigan diritti,
pull da sport e scarpe di tipo maschile,
la collezione rivisita anche la celebre giacca
di tweed in una versione unisex, qui indossata
da modelli e modelle. Molti gli indumenti
da sport, tra cui una linea da sci Chanel che
coniuga tweed, cachemire, lana, mohair e denim
(allusione alle pionieristiche collezioni da sport
di Mademoiselle agli inizi degli anni '20).

UNA CROCIERA SULLA SENNA

Un giro sulla Senna in bateau-mouche per
scoprire la collezione crociera 2004/2005:
i codici della maison si mescolano a motivi
nautici, con blazer blu (guarniti ovviamente dallo
stemma Chanel) portati con gonne plissé lunghe
al ginocchio in uno stile da tennista anni '20,
collane di conchiglie e coralli, e braccialetti
con ciondoli a forma di pesce.

Ambasciatori di uno spirito estivo, i vivaci
costumi da bagno con stampati « tweed »,
i pull da tennis bordati di tweed e gli abiti
trompe-l'oeil con cardigan di tweed coordinato.
Concludono la collezione tenute da sera
con lunghi abiti vaporosi nei toni del beige,
del nero e dell'azzurro.

« LE DOPPIETTE CHANEL »

Karl Lagerfeld imposta questa collezione
haute couture sul concetto del doppio,
conferendo una duplice identità a quasi tutti
i capi del défilé. Ognuno di essi si compone
di più pezzi, per poter essere interpretato
in vari modi: nel corso della sfilata le indossatrici
aggiungono o si tolgono uno degli elementi
del completo, sia esso un cappotto, una giacca,
una cappa o un velo.

Dominata da una palette bianco-nera e
presentata su una struttura geometrica di un
bianco abbagliante negli atelier Berthier (con
le scenografie dell'Opéra de Paris), la collezione
gioca su volumi e materiali. Tailleur di tweed
si abbinano ad abiti tagliati di sbieco in tessuto
assortito; vestiti a vita alta in mussola di seta
sono portati su lunghe robe-fourreau di trina
che slanciano la silhouette, ed eleganti modelli
neri da sera sono ravvivati da strati e strati di tulle.

TAPIS ROUGE

Chanel veste da lunga data le più grandi
ed eleganti attrici del mondo, da Jeanne Moreau
a Romy Schneider e Marlene Dietrich ai tempi
di Mademoiselle, fino a Nicole Kidman,
star della campagna per il *N° 5*. In omaggio
al legame tra le dive del cinema e la maison,
Lagerfeld ricrea la scenografia realizzata
da Baz Luhrmann per la pubblicità del profumo,
con un vero tapis rouge su cui le indossatrici
sfilano al ritmo di *Fame* di David Bowie.

Le top-model Linda Evangelista, Amber Valletta,
Shalom Harlow, Naomi Campbell, Kristen
McMenamy, Eva Herzigová e Nadja Auermann,
tutte vestite di nero, aprono la sfilata scendendo
il tapis rouge fino in fondo alla passerella dove
posano per i fotografi. La collezione propone
una serie di eleganti abiti da sera, tra cui un
lungo vestito di velluto nero con profonda
scollatura sulla schiena (il modello indossato
da Nicole Kidman nella pubblicità di Luhrmann),
perfetto per far risaltare il collier Chanel Joaillerie
N° 5 in oro bianco e diamanti che lo correda.
Alla fine della sfilata l'attrice, presente tra gli
invitati, raggiunge Lagerfeld sul tapis rouge
seguita da un'orda di fotografi.

CHANEL IN GIAPPONE

Creata come omaggio ai cinque atelier di *métiers d'art* comprati da Chanel all'inizio degli anni 2000, la collezione Parigi-Tokyo è presentata in Giappone in occasione dell'apertura della nuova boutique Chanel – una torre di dieci piani – nel lanciatissimo quartiere commerciale di Ginza. Il più grande negozio Chanel del mondo, progettato da Peter Marino, è sormontato dal « Tweed Garden » e ospita il lussuoso ristorante « Beige » d'Alain Ducasse.

« Il cinque è il numero portafortuna di Chanel e questi cinque atelier padroneggiano alla perfezione i codici della maison », dichiara Lagerfeld, che ha concepito la collezione come un dialogo tra l'ipermodernismo del Giappone e l'ancestrale savoir-faire degli atelier parigini. Tweed e maglierie sono ricamati d'oro, decorati con piccole stelle o listati di bordature, mentre le proporzioni giocano sui contrasti, come i minikilt portati con maxipull di cachemire. Il maquillage e le acconciature s'ispirano al mondo dei manga, sottolineando l'aspetto futurista della collezione. « Tutto sta nella raffinatezza dei dettagli – dichiara Lagerfeld a *Women's Wear Daily* – e c'è anche un tocco di spirito rock giapponese. »

GIARDINO ALLA FRANCESE

Fa da sfondo a questa collezione l'elegante scenografia di un giardino del Settecento, con un'ottagonale vasca di pietra grigia, tralicci in legno bianco ed elementi d'arte topiaria decorati con camelie in fiore, preannunciante sia il gigantesco giardino costruito nel 2011 da Chanel sotto la cupola del Grand Palais (v. pp. 484-487), sia la cornice della collezione crociera 2012, presentata a Versailles (v. pp. 520-523).

Ispirandosi al secolo dei lumi, Lagerfeld reinventa le proporzioni del celebre tailleur Chanel proponendolo nelle tonalità avorio, grigio perla, rosa, lilla e nero e abbinandolo a una quantità di gonne (bordate di passamanerie, a frange, plissettate, ricamate a lustrini o portate con cinture a grandi fibbie).

Cappelli cardinalizi, parrucche di piume bianche (rievocanti i capelli incipriati), maniche a volant e scarpe con fibbia di moda alla corte di Versailles sono reinterpretati in stile contemporaneo, mentre i fiocchi, che in molti ritratti ornano il corpetto di Madame de Pompadour, qui si posano su corti abiti di pizzo.

PETITES ROBES NOIRES

Vestite di miniabiti e con un grafico maquillage
in bianco e nero, le indossatrici di Karl Lagerfeld
ricordano Penelope Tree, la celebre mannequin
degli anni '60 scoperta da Diana Vreeland.
Dominata da impeccabili completi in bianco
e nero, la collezione celebra l'ottantesimo
anniversario della *petite robe noire* creata
da Coco Chanel e reinterpretata in mille modi
da Lagerfeld: sobria e rigorosa, con collo
e polsini bianchi, di mussola plissé, con triplo
collo MacFarlane, romantica, in versione
cocktail e in satin nero con perle e nastri.

In occasione del cinquantesimo anniversario
di un'altra icona Chanel, la borsa matelassé 2.55
creata da Mademoiselle nel febbraio 1955,
la collezione le riserva il posto d'onore,
abbinandola a tenute da giorno e da sera
e presentandone una speciale versione vintage
in pelle patinata nera o grigia, con catene d'oro
o d'argento.

CHANEL SCENDE IN STRADA

Per questa collezione crociera che ha
come sfondo Parigi, Karl Lagerfeld dà
appuntamento a ospiti e modelle in place
de la Concorde. Autobus d'epoca con la
scritta Chanel li aspettano per una
passeggiata urbana che, traversata la Senna
in direzione Saint-Germain-des-Prés, compie
qualche fermata qua e là permettendo alle
indossatrici – che sfilano nel corridoio tra
i passeggeri – di passare da un bus all'altro.
« Andando a scuola a Parigi, adoravo
prendere l'autobus – rivela Lagerfeld
a *Women's Wear Daily*. – Mi piaceva
guardare la città dal finestrino. »

Colorata, disinvolta e ravvivata da accessori
spiritosi (tra cui braccialetti con appesi
ciondoli-miniatura della tour Eiffel),
la collezione, definita dal *couturier*
« facile e leggera », è un omaggio a Parigi.
Il capolinea è quindi uno dei luoghi
più famosi della capitale: il Café de Flore,
frequentato in passato da habitués quali
Apollinaire, Picasso, Jean-Paul Sartre
e Simone de Beauvoir, dove gli invitati
della Maison Chanel prendono posto
per assistere a una sfilata di elegantissimi
abiti da sera.

CHANEL

MARDI 17 MAI 2005

Départ : 10 H 30 précises
-
Place de la Concorde

CROISIERE 2005/6   LIGNE   CONCORDE - CAFE DE FLORE

PLACE DE LA
CONCORDE

PONT DES
TUILERIES

PONT
ROYAL

PONT DES
CARROUSEL

CAFE DE FLORE

RUE DES
S.T. PERES

« LUSSO NASCOSTO »

Battezzata « Lusso nascosto », questa collezione
haute couture è presentata negli atelier Berthier,
a nord di Parigi, in un bianco spazio con le sedie
che circondano una passerella fatta di cerchi
concentrici ascendenti. Una dopo l'altra vi
prendono posto cinquanta indossatrici tutte
in cappotto nero.

I cinquanta capi differiscono tuttavia
uno dall'altro sia per il materiale (cuoio
verniciato, seta, perle o anche piume), sia per
il taglio e la linea (comprendendo, tra gli altri,
un mantello di stile edoardiano, una grande
cappa, uno scamiciato rotondo, un kimono
svasato, un largo soprabito e una redingote
a lustrini), nonché per le tonalità di nero
che vanno dall'ossidiana al nero giaietto,
nero mat, nero lacca e satinato.

All'improvviso i cappotti si aprono rivelando
altrettanti vestiti e tailleur di gran lusso.
Un « lusso nascosto » (e un'allusione
ai coordinati vestito-cappotto creati da
Mademoiselle Chanel), con fodere (che vanno
dal tweed alle camelie ricamate) riecheggianti
i colori e il materiale degli abiti a cui sono
abbinati. Lo splendido vestito da sposa,
composto con oltre duemila camelie e coperto
da un'ampia cappa di taffetà foderata con il fiore
preferito di Coco Chanel, non fa eccezione alla
regola.

« COCO INCONTRA JAMES DEAN »

Nella collezione « Coco incontra James Dean »,
ritmata in sottofondo da *This town ain't big
enough for both of us* dei The Sparks (ripresa
da Justin Hawkins, il cantante dei The Darkness),
Karl Lagerfeld mette in scena un immaginario
incontro tra due icone e due stili. Coco Chanel
e l'attore non s'incontrarono mai – la *couturière*
riaprì la sua casa di moda dopo la guerra,
al momento della morte dell'attore – ma
erano entrambi due ribelli anticonformisti.

La collezione, che sfila su una passerella in fondo
alla quale sorge un gigantesco computer, fa un
mix tra i costumi del film *Gioventù bruciata*
di Nicholas Ray e i codici Chanel. Il denim –
con jeans molto stretti o tagliati a bermuda –
è accostato al tweed bianco e nero di Chanel
e abbinato a cappelli di paglia (decorati di
scintillanti nastri neri), a morbidi scarponcini
bassi e a sandali portati con ghette di cuoio.
Le giacche di tweed si adornano di catene
metalliche e sulle gonne s'imprimono croci
barocche, mentre i bermuda e i costumi
da bagno in jersey sono indossati con giubbotti
di cuoio invecchiato, in stile con il look
dell'attore.

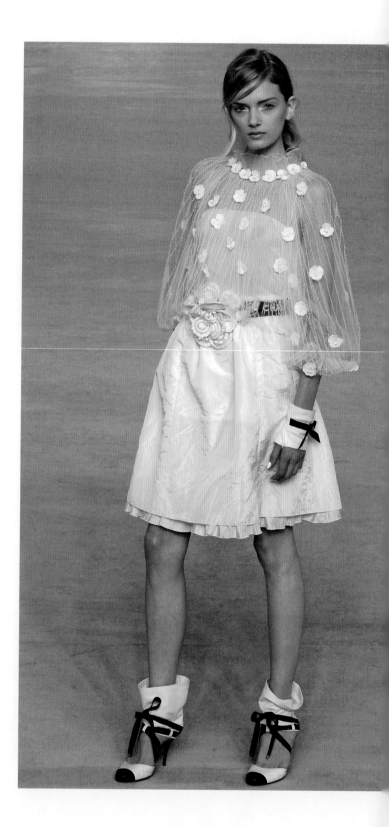

CHANEL A NEW YORK

Dopo Tokyo (v. pp. 348-349), Karl Lagerfeld
trasporta a New York la collezione *métiers d'art*
di Chanel – l'annuale omaggio al savoir-faire
degli atelier appartenenti alla maison – per
festeggiare la riapertura del più grande dei
suoi negozi in città, situato nella 57a Strada.
Chiusa per i preparativi due giorni prima
della collezione, la boutique, trasformata
in una grande passerella, ospita il cantante folk
Devendra Banhart che accompagna la sfilata
con un concerto per uno sceltissimo pubblico.

Lagerfeld ha ideato una collezione decisamente
monocroma, ravvivata da qualche sprazzo
d'argento, d'oro e di rosa chiaro, mentre
maquillage e acconciature rievocano gli anni '20,
con labbra rosso vivo e capelli ondulati trattenuti
con nastri di seta.

La collezione è ricca d'accessori: scintillanti
bombette della Maison Michel per un tocco
androgino, ricami finemente lavorati da Lesage
e una quantità di bijoux fantasia (cinture gioiello,
spille, collane di perle, braccialetti monocromi…).

CHANEL AL VERTICE

« Un puro Chanel, con livelli di perfezione
raggiungibili solo nella haute couture »: così
la giornalista di moda Sarah Mower descrive
la collezione che rende omaggio al savoir-faire
della haute couture e ai classici della maison.
La sfilata si apre su sobri e monocromi tailleur
di tweed con vita segnata e linea aderente al
corpo (alcune giacche sono tagliate molto corte,
come boleri), con maniche tre quarti e portati
con bassi stivaletti bicolori ispirati a un modello
indossato da Coco Chanel alla fine degli anni '50.

Gli abiti da sera, guarniti di ricami, lamé, lustrini,
perle, lievi pizzi e piume di struzzo nei morbidi
toni di grigio, rosa e azzurro, sembrano usciti
da un libro di fiabe e chiudono la collezione
con un aereo abito da sposa bianco finemente
ricamato, indossato da Lily Cole.

Alla fine della sfilata, dal centro della passerella
spunta una colonna che sale fin sotto la vetrata
del Grand Palais rivelando una grande scala
a spirale d'immacolato biancore, con sopra
le indossatrici per il gran finale.

« IN SCENA PARIGI »

Questa sfilata si svolge in una teatrale scenografia
appositamente creata nel Grand Palais, con palchi
e poltrone di platea per gli invitati. La collezione,
imperniata su una palette bianco-nera nel più
puro stile Chanel, propone minigonne e abiti
lunghi indossati con *cuissardes* per un look
giovane e rock, con brani di Gainsbourg in
sottofondo. « Oggi che tutto si focalizza sulle
gambe le gonne devono essere o cortissime,
o molto lunghe: « niente mezze misure »,
annuncia Lagerfeld.

Con fiocchi e nastri di satin tra i capelli,
le modelle esordiscono indossando giacche
di tweed bianco e nero portate su bluse a volant,
su jeans neri o su minigonne di pelle, per
continuare con cappotti leggeri, abiti da sera
con corpetti e bretelle coperti di cristalli,
cinture gioiello e ricami riproducenti vetrate
e croci guarnite da grandi broche d'ispirazione
bizantina.

GRAND CENTRAL STATION

Sei mesi dopo avervi presentato la precedente
collezione *métiers d'art* (v. pp. 368-371),
Chanel torna a New York, in un luogo
inaspettato e tra i più emblematici della città:
la Grand Central Station, con la sua folla di
passeggeri frettolosi. « In un certo senso è la
capitale del mondo », dichiara Karl Lagerfeld,
sedotto dal dinamismo della metropoli.
« Confesso che mi piace: tutte le persone con cui
lavoro vengono a New York per vedere quel che
succede – nelle strade di Parigi non circola tutta
questa energia. » E aggiunge: « Le collezioni
crociera vertono sul viaggio, per cui prendere
come simbolo una stazione è una buona idea…
E poi adoro questo spazio, mi è sempre piaciuto.
Lo trovo uno dei posti più belli di New York. »

Le modelle, che sfilano accompagnate da
un sottofondo musicale hard rock, indossano
una collezione femminile ma graffiante, con
un sospetto di stile « rock star » e una quantità
d'accessori, dall'accumulo di braccialetti
e di lunghi nastri, agli spettacolari orecchini
e ai sandali gladiatore in cuoio verniciato
alti al ginocchio.

DENIM ALTA MODA

Presentata in un tendone circolare eretto
nel Bois de Boulogne, questa collezione
(secondo Sarah Mower improntata a uno spirito
« mod medievale ») propone gonne cortissime
portate con versioni haute couture delle
cuissardes presentate nella precedente sfilata
(v. pp. 376-379), e lussuosi ricami che ricordano
le splendide miniature medievali.

Cosa rara per la haute couture, Karl Lagerfeld
utilizza il denim, con cui crea lunghi mezziguanti
e *cuissardes* ricavate da veri jeans, poiché,
a suo dire, « il vero lusso sta nel mescolare
liberamente le cose ». E aggiunge: « Questa
collezione gioca con le proporzioni. Quello
che conta è il movimento, una silhouette
adatta alla città e alla vita odierna, un piglio forte,
visivamente aggressivo... Spalle strette, maniche
più voluminose, testa minuta, corpo sottile
e gambe lunghissime: ecco l'ideale estetico
del nostro tempo ».

BIANCO & ORO

Un dressing-room di grandi proporzioni
al centro del Grand Palais: la sfilata si apre
su una parata di modelle avvolte in camici
di cotone bianco, tipo quelli indossati ai tempi
di Mademoiselle nei « camerini » durante le
prove, e che qui mettono in risalto innumerevoli
broche a camelia, larghi bracciali (talvolta con
incise citazioni di Coco Chanel), lunghe collane
e cinture a catena.

La collezione lascia ampio spazio agli accessori,
dagli onnipresenti bijoux ai rotondi occhiali da
sole stile anni '60, alle scarpe dalle trasparenti
suole compensate in Lucite. La silhouette è
molto corta (con minishort a vita alta ricamati a
zecchini neri), la vita segnata, spesso sottolineata
da una cintura dorata o monogrammata, con una
gamma minimalista di colori limitati al bianco
nero, grigio, oro e argento.

L'atmosfera estiva è accentuata da una serie
di sofisticati costumi da bagno bianchi in jersey
effetto tweed, ricoperti da collane, cinture
a catena e bracciali a polsino. « In realtà
sarebbero più adatti per pranzare intorno
alla piscina », ammette Karl Lagerfeld.

IL « TRAIN BLEU »

Presentata all'Opéra di Monte-Carlo,
la collezione s'ispira ai Ballets Russes di Serge
Djagilev e, in particolare, al *Train Bleu*,
lo spettacolo d'avanguardia del 1924 di cui
Coco Chanel creò i costumi e Jean Cocteau,
suo intimo amico, il libretto. Il titolo del balletto
allude al treno di lusso che a quei tempi collegava
Parigi (e, per la *high society* inglese, Calais)
alla Costa Azzurra, dove nel 1929 la *couturière*
si fece costruire la splendida villa La Pausa.

« Malgrado gli accenni alla danza classica
e all'esercito russo, sostanzialmente si tratta
di un look urbano », dichiara Karl Lagerfeld.
Divisa in tre « atti » – giorno, cocktail e sera –
la collezione mette in risalto il savoir-faire
dei *métiers d'art* e si distingue per le sue note
barocche e romantiche: bijoux fantasia finemente
lavorati, creati da Desrues, pochette di smalto
guarnite di pietre colorate, tulle a profusione
e delicate scarpette di satin con grandi fiocchi.
È un modo di « giocare su diversi livelli,
ma con la massima leggerezza possibile »,
spiega il *couturier*.

« ELASTICITÀ VERTICALE »

Cinque « Chanel boys » in tute da lavoro
di seta nera srotolano un gigantesco tappeto
su cui campeggia la doppia C, Cat Power
attacca un concerto live (tra cui alcune riprese
dei classici dei Rolling Stones e di Smokey
Robinson), ed ecco partita la sfilata di questa
leggera e trasparente collezione haute couture.

Le indossatrici, calzate con decolleté di capretto,
satin, coccodrillo e gros-grain creati da Massaro,
hanno lo sguardo velato da sottili fasce di tulle.
« È una versione moderna della veletta: protegge
e rende misterioso lo sguardo », osserva
Lagerfeld.

La collezione vuol essere leggera come il tulle,
l'organza e le migliaia di piume che la
punteggiano. « Ho voluto impostarla sul
concetto di 'elasticità verticale' », spiega
il creatore.

I maestri piumai della maison Lemarié hanno
lavorato ventisei tipi di piume, soprattutto
di struzzo e marabù nero, grigio, blu, rosa
e verde chiari (guanti, orecchini e mèches
di capelli sono in piume di struzzo).
I gioiellieri della maison Desrues hanno
inventato oltre centocinquanta paia di orecchini
alla creola ispirati all'arte africana e agli anni '60.

In omaggio all'incomparabile savoir-faire
degli atelier Chanel, alla fine dello show si alza
il sipario e tra gli applausi appare Lagerfeld
circondato dal suo staff, dalle operaie, dalla
consulente di moda Amanda Harlech, dalla
direttrice dello studio creativo Virginie Viard
e da tutti coloro che hanno lavorato alla
collezione.

PARIGI SOTTO LA NEVE

Per presentare quest'atmosferica collezione
Chanel crea un romantico ambiente invernale
con lago ghiacciato, cumuli di neve e gigantesche
nuvole sospese sotto la vetrata del Grand Palais.
« Per fare le nuvole ci sono voluti seimila metri
di tarlatana sostenuta da un telaio metallico –
per un peso complessivo di venti tonnellate »,
spiega Karl Lagerfeld.

Come gran finale e ulteriore tocco di poesia,
sulle indossatrici scendono migliaia di fiocchi
di neve di carta. « Un'allusione al riscaldamento
climatico di cui tutti parlano, e poi adoro
le nevicate in città », dichiara il creatore,
che infrangendo la tradizione dei colori tenui
della maison, propone una gamma di rosso
fiamma, turchese intenso, giallo stridente,
ultravioletto, prugna e lampone.

« Si sa che Mademoiselle Chanel ha lavorato
soprattutto sul beige e sul nero, però ha anche
adottato colori forti, ad esempio il rosso.
I suoi tweed erano molto colorati. Io adoro
il bianco e nero, però il colore era nell'aria,
se ne sentiva il bisogno. Un bisogno fisico. »

« CHANEL LINE »

Ore 19.30, venerdì 18 maggio 2007, hangar n° 8
dell'areoporto di Santa Monica a Los Angeles:
questi i dati del « volo » a bordo del quale
Chanel propone ai suoi invitati hollywoodiani
(da Demi Moore e Lindsay Lohan a Diane
Kruger, Dita von Teese e Milla Jovovich)
d'imbarcarsi per la sua nuova collezione crociera.

In un hangar arredato a lounge chic – con tre
cocktail-bar, una borsa da viaggio personalizzata
(contenente fotografie della collezione scattate
da Karl Lagerfeld e un flacone del *N° 5*, portato
da Marilyn Monroe, immortale icona di
Hollywood) posata su ogni sedia e un display
« Partenze » e « Arrivi » annunciante i voli della
Chanel Line –, gli invitati vedono avvicinarsi non
uno, ma ben due Challenger 601 con la doppia C
stampata sulla carlinga.

Le modelle scese dagli aerei della Chanel Line
cominciano a sfilare sulla pista guidate da Raquel
Zimmermann che apre il défilé con addosso
una tuta blu con polsi a righe (definita dalla
giornalista di moda Nicole Phelps « una via di
mezzo tra un'uniforme da capitano e una pratica
e comoda tenuta da viaggio molto jet set per
passeggeri di prima classe »). Le altre indossatrici
presentano eleganti rivisitazioni dei cliché della
Costa Occidentale: bermuda e short, berretti
sportivi e anche lunghi accappatoi – tipo studios
cinematografici – costellati di lustrini neri.

« Prendere l'aereo è diventato un incubo –
dichiara Lagerfeld. – Los Angeles è il sogno
dei jet privati, delle belle macchine e del glamour,
e le collezioni crociera sono dedicate a un certo
sogno di libertà. »

HIGH PROFILE

Il bucolico ambiente dei giardini alla francese
del Domaine National di Saint-Cloud –
quattrocentosessanta ettari disegnati a metà
Seicento da Le Nôtre – fa da cornice a un défilé
focalizzato (una rondine non fa primavera)
sul profilo laterale delle modelle e dei completi
che indossano. « È l'effetto 'high profile' –
commenta Karl Lagerfeld. – Ci si preoccupa
sempre dell'effetto frontale e di quello di schiena,
ma mai di quello laterale, che oltretutto
assottiglia la silhouette… La veduta frontale
è piatta: gli effetti sono tutti laterali. »

I corti tailleur di tweed sono bordati con motivi
grafici, gli abiti orlati con fasce di perle, fiocchi
di satin, fregi d'organza o strisce argentate,
e i lussuosi abiti lunghi si arricchiscono
di scintillanti cascate di pietre su spumose
scalature di tulle.

« La silhouette è lavorata dalla punta dei piedi
alla cima dei capelli », aggiunge Lagerfeld
riferendosi a una serie di oltre trenta aderenti
cagoules rétro (create dalla Maison Michel) di
tweed, tulle, o organza, decorate con zecchini,
pietre, piume o camelie, che rimandano agli anni
'20 ma in registro futurista. « Danno un tocco
di modernità alle cose preziose evocando
una specie di Barbarella », dice il creatore.

NOTTI D'ESTATE

Presentata davanti a un gigantesco fiocco bleu marine – uno degli emblemi della maison – da cui emergono le indossatrici prima di sfilare su una passerella blu notte, la collezione « Notti d'estate » è una probabile allusione a *Summer Nights* del film *Grease*, e all'estetica dell'America anni '50.

Ne sono la riprova i completi in jean che aprono la collezione (ci sono addirittura costumi da bagno in denim) e lo stampato a stelle blu (ovviamente intrecciate alla doppia C di Chanel) che ritorna su vestiti e tute-pantalone abbinate a giacche a righe bianche e rosse per un effetto bandiera a stelle e strisce.

Le spalle marcate, le tute e le scarpe con suole compensate sono di rigore in una collezione che ricorda anche gli anni '40, ma con una novità firmata Chanel: la borsa da caviglia. Al suono di *Be My Baby* delle Ronettes le modelle presentano versioni miniatura matelassé o in tweed della 2.55, da attaccare alla gamba nuda o sul pantalone (« come uno stringi-pantalone da ciclista », scherza Lagerfeld).

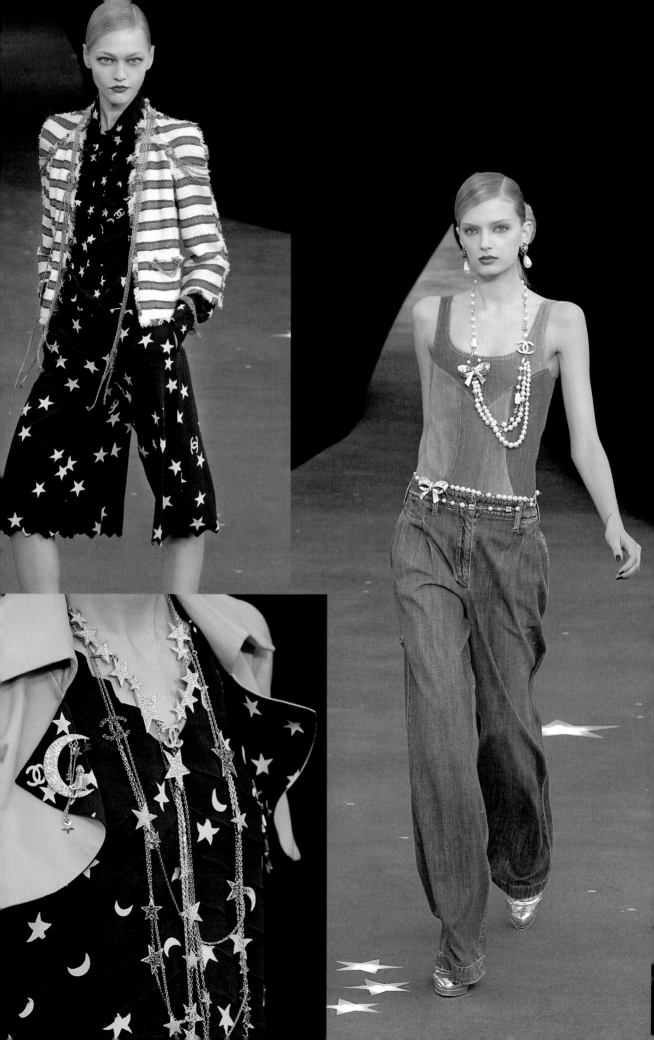

LONDON CALLING

« Chanel a Londra è un sogno. Ci capito
di rado, perché vado solo nelle città dove
lavoro », dichiara Karl Lagerfeld alla
giornalista di moda Suzy Menkes.
Il *couturier* ricorda i legami tra Coco Chanel
e lo stile inglese, risalenti ai suoi rapporti
con Arthur « Boy » Capel (l'uomo d'affari
e giocatore di polo britannico che fu l'amore
della sua vita e che finanziò la sua prima
boutique) e al duca di Westminster (di cui
si diceva che fosse l'uomo più ricco del Regno
Unito e con il quale viaggiò in Inghilterra
e soprattutto in Scozia, patria del tweed).

Presentata nei locali della casa d'aste Phillips
de Pury, nel quartiere Victoria, la sfilata si svolge
al suono di un concerto della mannequin
Irina Lazareanu, accompagnata al pianoforte
da Sean Lennon, il figlio di Yoko Ono e John
Lennon. Le allusioni al patrimonio musicale
londinese si manifestano sia nelle broche
e nelle spille da balia ispirate al movimento punk,
sia nel maquillage e nelle pettinature alla « Amy
Winehouse incontra Brigitte Bardot », con
capelli cotonati e pesante eye-liner.

Fedele al nero Chanel, la collezione è dominata
da lunghi abiti scuri portati con scarpe basse,
grandi croci gotiche e guanti di pizzo, piccolo
tocco eccentrico alla « Camden Town ».

UN MONUMENTO DELLA MODA

Una gigantesca giacca di tailleur Chanel
in cemento, con tasche, bordure e bottoni
monogrammati, si erge nel Grand Palais
formando l'arredo girevole di questa sfilata
haute couture, in omaggio a una delle creazioni-
faro di Coco Chanel e alla monumentale
importanza acquistata dalla maison nella storia
della moda e nella creazione contemporanea.

« La gente crede che Chanel abbia inventato
solo le giacche, ma all'inizio c'erano capi d'ogni
genere », spiega Karl Lagerfeld alla giornalista
di moda Suzy Menkes, riferendosi alle fotografie
degli anni '30 con Coco Chanel in pantaloni
di satin drappeggiato e volant di pizzo.

Emergendo dalla colossale giacca-scultura,
paragonata da *Vogue* a « un enorme scoglio
marino », le indossatrici, in completi corti
e calzate con leggere ballerine basse, danno vita
a una collezione ispirata ai fondali marini,
alle spirali e ai delicati colori delle conchiglie.
« Conchiglia Chanel », scherza il *couturier*.

Gonne e vestiti sono drappeggiati, attorcigliati
o plissettati in modo da evocare le striature
di un guscio, sofisticati fermagli-conchiglia
ornano abiti dai colori tenui, mentre i lussuosi
tessuti ricordano volute e trasparenze acquatiche.

UN GIRO DI GIOSTRA

Un'immensa giostra in versione Chanel occupa
la ribalta al Grand Palais, proponendo un giro
non su cavalli di legno ma sulle gigantesche icone
della maison: fiocchi, borse matelassé, fili
di perle, l'amato *canotier* di Mademoiselle
e, tra l'altro, la giacca del tailleur.

« Il tema di fondo è sempre il francesissimo
Chanel e qui ce ne sono tutti i simboli:
camelia, bottoni, perle, borsa, ecc. – spiega
Karl Lagerfeld, – ma nella sfilata, tranne che
per una borsetta, non se ne vede quasi nessuno,
perché la moda deve cambiare. »

« Una perfetta metafora – scrive la giornalista
di *Vogue* Sarah Mower – degli infiniti giri di pista
dei classici capi della maison e dell'inarrestabile
macchina che è oggi la moda. »

I famosi tweed Chanel (interamente fatti a mano)
appaiono nella collezione, ma su giacche
sfilacciate ai gomiti e con tessuto e bordi
smagliati. « Quando uno compra dei vestiti
molto cari non deve trattarli come se fossero
costati una fortuna. Dovrebbe poterli distruggere
come un paio di jeans a buon mercato – dichiara
Lagerfeld all'AFP. – Mi sono divertito a trattare
[i tweed Chanel] come se non costassero
un soldo. »

SUL BORDO DELLA PISCINA

« Miami è un posto fuori dal tempo, senza
costrizioni di sorta. È il relax, la spiaggia, il sole
tutto l'anno. Che di meglio per una collezione
crociera? », dichiara Karl Lagerfeld. In questa
collezione crociera il creatore ha dato spazio
alla disinvoltura: colori pastello, bianco estivo
abbinato al nero, giacche di tweed e vinile, grafici
costumi da bagno a righe, pantaloni a zampa
d'elefante in satin di seta o in jean, top con
bretelline, giacche di spugna beige con cintura,
grandi pullover e un misto di linee sciolte e
forme strutturate – il tutto con un tocco rétro
molto anni '70.

La sfilata si snoda intorno alla piscina del
leggendario Raleigh, l'hôtel Art Déco di
Miami Beach, su una passerella appositamente
installata sopra la vasca (essa stessa luogo di culto
immortalato dal cinema hollywoodiano degli
anni '40).

Gran finale a sorpresa con l'apparizione
della squadra olimpionica americana di nuoto
sincronizzato, con tanto di cuffie da bagno,
stringinaso e occhiali Chanel. Le nuotatrici
si lanciano in un balletto nautico culminante
in una figura che riproduce la doppia C
della maison.

« ORGANI & MUSICA »

Per l'ultima collezione della stagione Lagerfeld
ha ideato uno zampillo di tubi alti trentasette
metri sotto la maestosa vetrata del Grand Palais.

« Un giorno ero a un concerto per pianoforte…
È partito tutto di lì. È stata la cassa d'organo
della Salle Gaveau a ispirarmi », spiega. Benché
basata sul tema « organi e musica », la collezione
non evoca in modo letterale lo strumento.
« Non sto sviluppando un tema: è un effetto
visivo che cerco di tradurre in forme, ricami
e volumi », commenta il creatore. Le pieghe
scanalate di certi abiti e cappotti ricordano
le canne di un organo, ma la principale fonte
ispiratrice si rivela soprattutto nella palette
dai metallici colori acciaio, argento e platino
« tutti a mezze tinte ».

« Mi piace quel caschetto birichino che purifica
le cose, permettendo di focalizzarsi sulla
silhouette – spiega Lagerfeld. – Oggi ho scelto
di aggiungere un po' di volume e nuove
proporzioni. Mademoiselle Chanel non creava
soltanto volumi striminziti, ha disegnato anche
delle maniche a sbuffo! Bisogna evolversi e un
po' di struttura è piuttosto elegante per la haute
couture. »

31, RUE CAMBON

Chanel trasloca al Grand Palais ricostruendo
in scala 1/1 la facciata del suo leggendario
stabile situato al 31 di rue Cambon. Unico
cambiamento: la strada resa celebre da
Mademoiselle non scorre più parallela alla casa
di moda, ma le sta di fronte e vi conduce.
« È come una *location* hollywoodiana », dichiara
Karl Lagerfeld. Il décor diventa una scenografia
cinematografica e la sfilata un cortometraggio
in cui le indossatrici interpretano il ruolo
della Parigina chic, cliente della maison.

Coco Chanel si stabilisce al 31 di rue Cambon
nel 1918 e l'edificio conserva tuttora il suo
appartamento, le sale dov'erano presentate
le sue collezioni e i due atelier haute couture
(all'ultimo piano).

Sfilando al suono di *Our House* dei Madness
la collezione rende omaggio al classico stile
Chanel con una palette di nero, bianco, rosa
e grigio, mentre il bicolore dei famosi decolleté
si trasferisce sui collant (opachi sopra il ginocchio
e trasparenti sotto) e i sacchetti di carta della
boutique sono reinventati in una lussuosa
versione in pelle.

VIAGGIO IN RUSSIA

Stavolta la collezione *métiers d'art* è dedicata
alla capitale di un paese e di una cultura che
affascinarono Coco Chanel e di cui sono prova
le collaborazioni con i Ballets Russes di Serge
Djagilev, le relazioni con Igor Stravinsky
e con il granduca Dimitri Pavlovich (cugino
dello zar Nicola II), il lavoro con gli atelier
di ricamo fondati da emigrati russi nella Parigi
degli anni '20 (quali Kitmir, creato dalla sorella
di Dimitri, la granduchessa Maria Pavlovna),
i suoi gioielli d'ispirazione bizantina e,
ovviamente, la creazione dei profumi *N° 5*
e *Cuir de Russie* con Ernest Beaux,
ex profumiere di corte dello zar.

Messa in scena al Théâtre du Ranelagh di Parigi,
la sfilata è preceduta dalla proiezione del primo
cortometraggio realizzato da Karl Lagerfeld,
Coco 1913 – Chanel 1923, dedicato alla relazione
tra Mademoiselle e Dimitri. La collezione
è un misto di influenze di vario tipo, quali gli
splendori della Russia imperiale, le avanguardie
pittoriche russe degli inizi Novecento
(in particolare le opere di Liubov Popova,
il cui quadro *Architettura pittorica 1918-1919*
ispirò i ricami geometrici creati per gli abiti
da sera dalla maison Lesage), l'estetica
costruttivista e il folclore russo (con lussuose
reinterpretazioni dei tradizionali copricapi
kokoshnik).

LA COLLEZIONE BIANCA

Sotto la vetrata del padiglione Cambon
Capucines Chanel presenta un grandioso
décor di carta bianca – come un gigantesco libro
animato – composto da una monocroma flora
di rose, margherite, foglie e petali che partono
all'assalto della scena, avvolgono fino in cima
le trentadue colonne della sala e ricoprono
la magistrale rampa di scale imboccata dalle
indossatrici (oltre settemila fiori fatti a mano!).

Promuovendo « una nuova modestia », Lagerfeld
si ispira ai libri « pop-up » in rilievo, incorporando
la delicatezza e l'aspetto ludico di questi oggetti
tridimensionali in vestiti, tailleur e perfino nella
capigliatura delle modelle. L'artista giapponese
Katsuya Kamo, coniugando il tema floreale
della collezione alle elaborate porcellane bianche
del XVIII secolo, ha ideato acconciature di carta
composte di camelie, anemoni, foglie, piume,
rami e altre forme vegetali.

Associare materiali quali il tweed, la mussola,
l'organza o il satin di seta alla delicatezza
di un sottile foglio di carta: questa la sfida
che Lagerfeld ha lanciato a se stesso.
« La carta è il mio materiale preferito. È nello
stesso tempo il punto di partenza di un disegno
e il punto d'arrivo di una fotografia. Con la carta
c'è una sorta di contatto fisico che non riesco
a spiegarmi… È un materiale semplice,
ma la maison Lesage ne ha fatto la materia
più preziosa che esista. »

BELLE BRUMMELL

Dopo una collezione d'immacolato biancore
(v. pp. 438-441), Karl Lagerfeld rende omaggio
al nero, a tutti i neri esistenti, con una sfilata
in onore della quale la vetrata del Grand Palais
si specchia in un pavimento color onice laccato,
percorso da un'infilata di otto saloni dalle pareti
bianco opaco.

« Chanel Belle Brummell è un'allusione al dandy
Beau Brummell che inventò gli abiti da uomo
scuri focalizzando l'interesse su cravatte,
sciarpe, colli e polsini », spiega il creatore.

Ecco dunque collari e polsini di tulle bianco,
di mussola e di taffetà su collo e polsi di abiti
eleganti e d'impeccabili tailleur neri. Questa
marea di neri è punteggiata da tocchi rosa pallido
e verde giada, che contrastano con il delicato
biancore dei colletti e dei polsini staccabili,
aggiunti da Lagerfeld per proporre un doppio
guardaroba. « Il mio mestiere è di aggiornare
Chanel allo stile del tempo. Un abito trasformabile
è un'idea moderna: da un vestito se ne fanno
due », commenta.

La giacca del tailleur Chanel è concepita in tre
lunghezze: orlata con passamano di ottoman,
in tweed lavorato a « carta », o portata
su pantaloni da uomo. Sotto i cappelli creati
dalla Maison Michel, le robe-manteaux,
i tailleur e gli abiti da sera adottano i materiali
più nobili: stretch goffrato, pizzo che sembra
maglia, ricami a caviale con perle di jais, lane
goffrate a cabochon, pelle satin, jersey di seta
e crêpe.

« COCO AL LIDO »

... è così che Karl Lagerfeld descrive
la collezione presentata al crepuscolo sulla
passerella del Lido di Venezia, in omaggio
a una delle mete preferite di Coco Chanel,
dove la *couturière* si recò regolarmente
per oltre dieci anni dopo avervi incontrato
Serge Djagilev nel 1920.

Ispirata dalla « café society » degli anni '30,
da *Morte a Venezia* di Visconti (un amico
di Chanel, che l'aiutò a fare carriera nel
cinema), dai sontuosi rossi del Rinascimento
e dagli imprimé di Fortuny, la collezione
si apre con tricorni e cappelli rievocanti
Casanova e l'età d'oro del carnevale di
Venezia, seguiti da righe da gondoliere,
tenute da spiaggia non prive d'umorismo,
lussuosi bijoux e abiti da sera di squisita
eleganza.

Le acconciature e il maquillage, *trait d'union*
che unifica la collezione, rievocano la marchesa
Luisa Casati, celebre mecenate dagli occhi
verdi e dai capelli rosso fiamma, icona dello
stile anni '10 e '20, appassionata dei balli
in maschera e grande eccentrica (portava
serpenti vivi come gioielli e andava a
passeggio con i suoi ghepardi legati
a guinzagli coperti di diamanti).

CHANEL *N° 5*

Su un set bianco a riquadri neri quattro
immensi flaconi di *N° 5* (da cui escono
le modelle) si ergono sotto la vetrata
del Grand Palais. « Che c'è di più mitico
di una giacca Chanel e del *N° 5*? », chiede
Karl Lagerfeld, che in questa sfilata haute
couture mette insieme le due icone.

Aperta da una serie d'impeccabili tailleur
bleu marine, rossi e argento, la collezione
gioca su lunghezze e proporzioni,
accostando una pura silhouette evocante
« un effetto grafico privo d'ingombri e linee
asimmetriche » a volti velati di tulle ricamato
con borchie e cristalli. « È un velo civettuolo
che crea il mistero… Ogni tanto è piacevole
vedere senza essere visti », dichiara
Lagerfeld.

Una pettinatura cotonata (a volte sotto veli
a forma di cloche incrostate d'argento e di
perle) unisce una collezione che lascia ampio
spazio a opulenti ricami e a preziosi tessuti.
Gli abiti di mussola e i delicati drappeggi,
come pure il pizzo ricamato, plissettato
e a volant, ricordano i fasti di Versailles.

UNA FATTORIA A PARIGI

« Ho trascorso l'infanzia in campagna.
Oggi si parla molto d'ecologia e mi è parso
interessante dare un *twist fashion* al
problema », annuncia Karl Lagerfeld a
proposito di questa bucolica e pastorale
collezione presentata in una monumentale
fattoria – con un granaio alto nove metri,
covoni di fieno e ghirlande di fiori – ricreata
nel Grand Palais e che a fine sfilata ospita
un miniconcerto di Lily Allen.

Ispirato ai quadri di Fragonard e al villaggio
di Maria Antonietta a Versailles, l'idillico set
vede sfilare colori tenui: bianco naturale,
panna, beige, ma anche rosa, corallo
e arancio chiaro, senza dimenticare gli
imprimé a fiordalisi e papaveri blu, bianchi
e rossi che ricordano certe creazioni
di Coco Chanel di fine anni '30.

Il tema della campagna ricorre anche
nel motivo del grano (uno dei simboli
portafortuna di Coco Chanel, presente
nell'arredamento della sua casa), nonché
negli zoccoli di cuoio dalla suola chiodata,
nei cestini guarniti di fiori e nelle borse
di vimini o di juta.

UNA PARIGI D'ORIENTE

Presentata su una chiatta lunga ottantacinque
metri attraccata sul fiume Huangpu, la collezione
métiers d'art Parigi-Shanghai può vantare
uno sfondo unico al mondo: una panoramica
veduta notturna dei grattacieli di Pudong.
« Non potendo ricostruire la città, abbiamo
costruito un'imbarcazione dalla quale si può
vedere Shanghai: una scatola di cristallo nero
con vista su Shanghai », spiega Karl Lagerfeld.

Oltre che per il suo dinamico porto, Shanghai
fu rinomata nel XIX e agli inizi del XX secolo
per la sua cosmopolita e sofisticata atmosfera
che le valse il soprannome di « Parigi d'Oriente ».
È quindi il luogo ideale per ospitare un défilé
che rende omaggio all'incomparabile savoir-faire
degli atelier parigini di Chanel, prendendo
a riferimento sia « la Cina arcaica, molto sobria
e molto moderna... sia il periodo dei Tre
Imperatori della fine del XVII secolo », precisa
il *couturier*, che per l'occasione ha realizzato
il cortometraggio *Parigi-Shanghai, Una fantasia*.

Con un'opulenza pari a quella della corte
imperiale, la collezione allude al cinema
hollywoodiano degli anni '30 e al « romanticismo
urbano dei film cinesi », reinterpretando
elementi della storia del costume, dai lunghi
vestiti *cheongsam* e dai rossi delle lacche fino
ai completi alla Mao e ai berretti comunisti.

Benché Coco Chanel non abbia mai visitato
la Cina, l'arte cinese è molto presente nelle
sue abitazioni, arredate con preziosi paraventi
laccati Coromandel. « Adoro le cineserie francesi
del Settecento, perché ci mostrano una Cina
vista da persone che non c'erano mai state –
ed è divertente, così piena di fantasia, leggera
e briosa », dichiara Lagerfeld.

NEON BAROCCO

« Pastello e argento. È una specie di flash che mi
è venuto una mattina e che poi ho concretizzato
nella scenografia e nella collezione », dichiara
Lagerfeld a proposito di questa collezione
composta di delicati completi in tinte
« macaron ». La sfilata ha luogo al 46 di rue
Cambon, nel padiglione Cambon Capucines
color pastello e decorato da neon, con gli invitati
seduti su divani argentati. « È la prima volta
in tutta la mia carriera che faccio una collezione
senza nero né blu – e non c'è neanche un
bottone dorato », aggiunge.

Abiti di pizzo, satin, tulle e mussola sono
decorati con perle, cristalli o luccicanti lustrini
argentati, mentre oltre milletrecento fiori plissé,
goffrati e a volant sono assemblati per disegnare
completi e cappe a « palloncino ».

Conclude la sfilata l'abito da sposa in un turbine
di volant di mussola, satin e tulle rosa chiaro.
Corpetto e maniche sono interamente ricamati
a viticci e volute argentati.

CHIC ARTICO

Blocchi di ghiaccio a forma di iceberg, posati
su una sottile pellicola d'acqua azzurrina
che ricorda il colore dei fiordi, formano
il monumentale e gelido ambiente in cui
mannequin dai capelli increspati sfilano calzate
di stivali di pelliccia a pelo lungo, o protette
da sovrascarpe di plastica trasparente.

Dopo un prologo in cui la passerella si popola
di « Inuit » indossanti completi di pelliccia
sintetica con cappuccio, la collezione lascia
ampio spazio a questo materiale che Lagerfeld
preferisce chiamare con il più elegante termine
di « pelliccia fantasia ». « La falsa pelliccia è stata
per tanto tempo un materiale importabile, ma
da allora le cose sono progredite e oggi non c'è
motivo di non usarla », spiega il creatore.

L'emblematico tweed di Chanel è lavorato
a maglia insieme a inserti di pelliccia con
splendidi effetti, e le giacche dei tailleur
sono ricamate con scintillanti sbarrette di cristalli
o guarnite « stalattiti » a frange. Il tema polare
ricorre anche negli spiritosi accessori, quali
le borse in patchwork di pelliccia con ricamata
la famosa borsa matelassé Chanel, o le pochette
con stampigliata la doppia C « congelata »,
come scolpita nel ghiaccio.

RIVIERA BOHÈME

Per questa collezione crociera Chanel si reca
in una delle località cult della Riviera, il celebre
porticciolo di Saint-Tropez.

Seduti sulle seggiole rosse del famoso café
Sénéquier, gli ospiti aspettano l'arrivo in fuori
bordo delle indossatrici e la loro sfilata sulla
strada, che per l'occasione funge da passerella.

Benché Coco Chanel andasse di rado a Saint-
Tropez (« Colette ce l'incontrò nel 1934 »,
ricorda Karl Lagerfeld), il luogo è caro al
couturier. « Ci ho passato molti anni della mia
vita. Conosco Saint-Tropez come Parigi. »

Descritta come « molto casual e terra terra »,
la collezione si conclude con un finale rombante:
Georgia May Jagger, in miniabito imperlato
e *cuissardes*, sfreccia sul sedile posteriore di una
Harley Davidson, al suono di *Let's spend the night
together*.

PERLE & LEONI

In omaggio al segno astrologico di Coco Chanel, nel Grand Palais si erge un enorme leone dorato con la zampa posata su una gigantesca perla da cui escono le indossatrici di questa lussuosissima collezione haute couture.

Cogliendo un influsso russo nei sontuosi ricami, nelle pellicce e nei broccati di seta, *Vogue* trova gli abiti ricamati e adorni di lustrini « ricchi di dettagli come uova Fabergé ». Tanto per fare un esempio, su un modello indossato con stivaletti assortiti di Massaro è stato applicato a mano un milione di paillette. I motivi floreali, ispirati alla porcellana tedesca del Settecento, sono di Lagerfeld, mentre nei loro ricami a paillette le corte giacche riprendono motivi regali.

« Niente abiti lunghi – insiste il creatore. – Era ora di dare una rinfrescata. Sono stanco degli abiti da sera con strascico, tipo tapis rouge. Questi sono vestiti per vivere e muoversi, come negli anni '20 e '30. » Comunque, a differenza dell'epoca di Coco Chanel, « la nuova garçonne veste più aderente – le garçonne degli anni '20 non avevano il punto vita, mentre qui la silhouette è molto femminile e la vita sembra più sottile per via del volume delle maniche ».

L'ANNO SCORSO A MARIENBAD

Il monumentale giardino alla francese creato
da Chanel occupa l'intera superficie del
Grand Palais. Siepi scolpite in pietra nera
si stagliano con effetto minerale sulla ghiaia
bianca, il tutto intorno a una grande fontana
e al suono di un'orchestra di ottanta
suonatori (l'orchestra Lamoureux,
guidata da Thomas Roussel).

Lo stile cinematografico non è casuale:
Lagerfeld indica come sua principale fonte
d'ispirazione per la collezione « Delphine
Seyrig ne *L'Anno scorso a Marienbad* ».
Una delle più emblematiche scene
dell'onirico film in bianco e nero di Alain
Resnais, uscito nel 1961, si svolge appunto
in un giardino alla francese, e i costumi
dell'attrice furono disegnati dalla stessa
Coco Chanel. « Il film si svolge nell'albergo
di un immaginario luogo di villeggiatura
– spiega Lagerfeld. – Fu girato nel palazzo
di Amalienburg, presso Monaco, ma la fonte
ispiratrice [di Amalienburg] è Parigi,
è Versailles… molto francese. »

I primi completi lasciano largo spazio
al tweed *dévoré* cosparso di buchi eseguiti
da mani sapienti, allusione all'estetica punk.
« Ci sono materiali d'ultima generazione –
spiega Lagerfeld – come il tweed strappato
a laser ma trattenuto da passamanerie,
altrimenti non starebbe insieme, da indossare
su abiti-chemisier o su una camicia bianca. »

La collezione si mantiene fedele alla palette
bianco-nera del film, con abbondanza
di voile nero guarnito da delicati disegni,
di sottilissimo tulle e da una profusione
di piume lavorate dalla maison Lemarié:
« Deve 'fare Chanel', ma senza essere
ripetitivo », conclude il creatore.

SPLENDORE BIZANTINO

In omaggio all'ex capitale imperiale, la collezione
Parigi-Bisanzio abbina le tradizioni della haute
couture francese alla magia ottomana. Prima
di essere ribattezzata Costantinopoli nel 330,
Istanbul un tempo si chiamava Bisanzio.
Al suo apogeo nel VI secolo l'Impero bizantino
dette origine a una brillante e raffinata civiltà,
sopravvissuta fino al 1453 e caratterizzata
da splendide basiliche decorate a mosaico.

Tra le ultime vestigia di quest'arte, la basilica
di San Vitale di Ravenna, costruita nel VI secolo
sotto il regno dell'imperatore Giustiniano (e che
servì da prototipo per la basilica di Santa Sofia
a Istanbul). Il monumento, protetto dall'Unesco,
conserva smaglianti mosaici dai quali Lagerfeld
ha tratto ispirazione. « Sono andato a Ravenna
e ho fatto un libro su ciò che ne resta, intitolato
Frammenti bizantini. I mosaici sono sublimi. »

Seduti su sontuosi divani bassi coperti di cuscini
dipinti a mano nei saloni di rue Cambon (le cui
pareti sono state ricoperte per l'occasione da
scintillanti paillette di bronzo), gli invitati
guardano sfilare completi finemente elaborati
evocanti i gioielli d'ispirazione bizantina,
creati a suo tempo da Coco Chanel.

« I bottoni sono quadrati come i gioielli
bizantini: niente luccica veramente ma tutto
ha il caratteristico riverbero del mosaico,
perché il mosaico ravennate è fatto di lapislazzuli
e di vetro foderato di foglia d'oro – una cosa
incredibile », spiega il creatore. « [Questa
collezione] è l'estrapolazione dell'idea di un
qualcosa che non abbiamo conosciuto: il lusso
bizantino scomparso, distrutto dal tempo. »

« FRAGILE ROCK »

Ispirato dai rosa e dai grigi dei primi quadri
di Marie Laurencin, Karl Lagerfeld presenta
una collezione che definisce molto discreta:
« Un rock fragile », per citare le sue parole.

« La fonte d'ispirazione è Marie Laurencin,
ma di lei amo solo gli inizi, dal 1908 al 1930.
Il mio periodo preferito è quello in cui era
intima di Nicole Groult, la sorella di Paul Poiret,
– spiega il creatore. – Amo i colori dei quadri
di quel periodo, con quei tocchi di grigio
e le piccole macchie nere. »

Un'ondata di rosa e di toni grigio chiaro e avorio
punteggiati d'argento dilaga su una serie di top
dalle spalle arrotondate con mussola, tulle e
organza, ricamati a lustrini, cristalli, fiori o perle.
Si indossano su stretti pantaloni di mussola
interamente ricamata o coperta di lustrini
e con basse ballerine di satin o di vernice nera,
con laccetto trasparente alla caviglia per una
piccola nota « rock chic ».

La sfilata si conclude con vestiti stile Impero
guarniti da fini ricami scintillanti « come rugiada
del mattino su una ragnatela », per citare
la consulente di moda e amica del *couturier*
Amanda Harlech: un nuovo trionfo del
savoir-faire degli atelier Chanel.

ANDROGINIA & APOCALISSE

In un poetica bruma autunnale sullo sfondo
di un'immaginaria foresta, Chanel mette
in scena un défilé austero. Uscendo da
due cubi bianchi guarniti dalla doppia C,
le modelle imboccano una pista di legno
avvolte in una nebbia luminosa. « Dopo
i giardini alla francese della scorsa stagione
[v. pp. 484-487] volevo ricreare nel Grand
Palais l'atmosfera di un giardino nebbioso »,
spiega Karl Lagerfeld.

Tema centrale della collezione è l'androginia,
che vede la leggendaria giacca da tailleur
reinventata in versione « ibrida », ristretta
e portata su una giacca da smoking o su un
giaccone. I pantaloni, di stile molto maschile,
si stringono sopra la caviglia e sono portati
su grossi scarponcini con morbidi calzerotti
ricadenti a mo' di ghette o, per contrasto,
con eleganti decolleté a punta e tacco sottile
di crêpe de Chine.

Al suono di *A Forest*, il classico gotico
dei The Cure, la collezione si svolge
in un paesaggio post-apocalittico dove
le indossatrici si aggirano tra fumanti
mucchi di lava nera. « È una foresta nordica
bruciata – dichiara Lagerfeld. – L'ispirazione
è l'inverno: mi ricorda gli inverni passati da
bambino nel Nord Europa, dove per molti
mesi le foreste avevano quest'aspetto.
L'ho sempre trovato molto poetico. »

Volendo vi si può anche vedere l'influsso
di « Anselm Kiefer, di Caspar David
Friedrich, il pittore romantico tedesco,
del film di Fritz Lang *I Nibelunghi* (in una
scena [l'eroe] traversa a cavallo una foresta
del genere), dell'architettura giapponese,
dei paesaggi vulcanici – ma quando me n'è
venuta l'idea non sono stato ad analizzare
i dettagli. Ne ho avuto una visione in sogno,
è emersa tutta insieme dal subconscio »,
spiega il creatore.

GLAMOUR HOLLYWOODIANO
SULLA RIVIERA

« Non è uno dei posti più belli al mondo? »,
esclama Karl Lagerfeld seduto su una
terrazza a picco sul Mediterraneo al
Cap-Éden-Roc di Antibes, vicino a Cannes.
Ed è appunto in questo lussuosissimo
albergo, frequentato fin dagli anni '20
dal jet-set e dai divi, che si svolge la collezione
crociera. Dopo uno scalo a Saint-Tropez
(v. pp. 474-477), Chanel esplora l'altro
versante dello chic Riviera. Lo stile di
quest'« altro lato del paradiso » che si
estende da Cannes a Monaco contrasta con
l'atmosfera più bohèmienne di Saint-Tropez
e, a detta di Lagerfeld, è caratterizzato da
« un certo rigore sartoriale e da un glamour
ereditato dagli anni '50 che aveva un fulgore
più naturale, più interiore, lontano mille
miglia dalla moda odierna che si è smarrita
sul tapis rouge ». Tra le fonti d'ispirazione,
per una collezione che rende omaggio
al glamour dell'età d'oro hollywoodiana,
il creatore cita anche l'attrice Rita Hayworth
e suo marito il principe Ali Khan, ex habitués
dell'Hôtel du Cap.

Un posto d'onore è riservato ai famosi
gioielli di Chanel: creazioni d'alta gioielleria
e « comete » di diamanti sono ricamate
su abiti da sera di seta blu scuro (allusione
a Coco Chanel cui piaceva mescolare pietre
preziose e bijoux fantasia). Una serie di
costumi da bagno molto scollati e guarniti
di strass ricordano l'eccentrica coppia
Marie-Laure e Charles de Noailles e il loro
film d'avanguardia dedicato alla ginnastica,
Biceps et bijoux (*Bicipiti e gioielli*), girato
nel sud della Francia.

LE « ALLURES » DI CHANEL

Battezzata « *Le allures di Chanel* » (allusione
a *L'Allure de Chanel*, il libro dedicato da Paul
Morand alla fondatrice della maison), la
collezione è presentata in notturna in una place
Vendôme ricostruita all'interno del Grand Palais:
le facciate sono disegnate con il neon bianco
e una statua argentata di Coco Chanel rimpiazza
l'effigie di Napoleone in cima alla colonna
della piazza.

« Chanel e place Vendôme sono molto legate tra
loro – spiega Karl Lagerfeld. – [dagli anni '30
alla sua morte nel 1971] Coco Chanel visse al
Ritz e oggi c'è una gioielleria Chanel al n° 18...
Amo l'architettura, ma questa piazza è più
ispirata dal GPS – un GPS a neon di place
Vendôme. »

La collezione illustra le varie sfaccettature
delle « allures » Chanel accostando lunghi abiti
romantici che ricordano le creazioni anni '30
della *couturière* (tra cui uno scintillante abito
da sposa di satin bianco, con strascico di tre metri)
a canotier creati dalla Maison Michel e guarniti
di piume, tulle e nastri (Mademoiselle adorava
i *canotiers*, ripresi dall'abbigliamento dei
rematori e dei ciclisti d'inizio Novecento).
« È più androgina, come la silhouette di un
ragazzo. Mi piace molto avere due tipi di stili
femminili. Chanel era proprio così: creava abiti
estremamente romantici, ma ha anche inventato
il look ripreso dagli abiti da uomo austriaci e dai
completi di tweed maschili », spiega Lagerfeld.

BELLEZZA SOTTOMARINA

Ispirata al mare, la collezione ci trasporta
in un onirico mondo sottomarino animato
da una performance live di Florence Welch
(di Florence and the Machine), una delle
cantanti preferite di Karl Lagerfeld.

« Secondo me non c'è niente di più moderno
delle forme che stanno in fondo al mare e che
hanno miliardi di anni – dichiara il creatore. –
È un mondo non inquinato, ancora inesplorato
e che, a seimila metri di profondità, è uguale
in tutto il mondo. Guardate le forme del mare,
i pesci, gli uccelli: sono molto, molto moderni,
come una costruzione di Zaha Hadid. »

Giocando con i volumi e, a parte le perle,
quasi del tutto priva dei riferimenti simbolo
di Chanel (niente bordature, niente logo,
niente bottoni dorati), questa collezione,
in gran parte bianca, introduce varie innovazioni
nel campo tessile. « Tutto verte sui tessuti –
spiega Lagerfeld. – Pochissimi materiali classici,
la maggior parte sono mix di carta, cellophan,
silicone e fibra di vetro, e non pesano niente. »

SOGNO INDIANO

« Per me l'India è un'idea – dichiara Karl
Lagerfeld, che in India non c'è mai andato.
– Non conoscendone la realtà, coltivo una
visione poetica di qualcosa che magari in realtà
è molto meno poetico… La mia è la versione
parigina di un'India che non è mai esistita:
più Chanel che indiana. Lei adorava i gioielli
indiani. »

Incoronate da sublimi gioielli, le indossatrici
sfilano su una passerella trasformata in un
banchetto con tavole ricoperte di cibi, fiori
e candele: all'onore, borse, guanti e stivali
stampati con l'henné, cascate di perle, motivi
floreali mogol dipinti a mano, broccati di seta,
lamé d'oro e d'argento, satin *duchesse* e lussuose
reinterpretazioni dei tradizionali *salwar*,
delle tuniche *kameez*, dei foulard *dupatta*,
dei sari, di gonne e pantaloni *sarouel* e,
ovviamente del famoso colletto alla Nehru.

154 SFUMATURE DI BLU

« Il blu è il colore dell'aria, del giorno e della notte. Non l'avevo mai utilizzato fino a questo punto », dichiara Karl Lagerfeld.

Presentata in un aereo Chanel in scala 1/1 (completato da una moquette con la doppia C) ricostruito nel Grand Palais, la collezione comprende non meno di centocinquantaquattro sfumature di blu: « Dall'azzurro perla al blu notte, è un immenso ventaglio di colori tendente al porpora ma anche al verde », spiega il creatore.

Tutti questi blu scintillano nei complessi ricami impreziositi di lustrini, cabochon, piume e strass, abbinati a bottoni in pasta di vetro della maison Desrues. « È il colore più donante che esista E poiché il tapis rouge mi ha stufato, *pourquoi pas le tapis bleu?* », conclude Lagerfeld.

CRISTALLI

« Il grande creatore è la natura », dichiara Lagerfeld indicando la foresta di giganteschi blocchi d'ametiste grezze, limpidi cristalli di rocca e quarzi opachi che si ergono sullo scintillante pavimento bianco – « queste forme hanno milioni di anni ». Le principali tendenze della collezione sono « un mix di minerali, cristalli di rocca e cubismo ceco, rivisitato a uso di una donna moderna, con varie proposte di ciò che potrebbe indossare », spiega il *couturier*.

« Per me il nuovo look Chanel non è il tailleur classico ma il nuovo tre pezzi: un tubino, una giacca e dei pantaloni dello stesso tessuto con i quali giocare… Niente tailleur bordati – chissà, forse ritorneranno! »

La collezione rende omaggio al ricamo, dalle maniche ricamate a gioielli fino alle sopracciglia guarniti dalla maison Lesage – e alle piume. « Tutti usano la pelliccia – spiega Lagerfeld. – E perché non le piume? Le piume riproducono meglio di qualsiasi altro materiale quelle sfumature bronzee, grigie e ametista, le assorbono alla perfezione, sempre che non ce li abbiano già di suo. Sono leggere, non troppo voluminose e molto donanti. »

« COCO ROCK »

Karl Lagerfeld ha scelto come décor il Boschetto
delle Tre Fontane, create da André Le Nôtre
nel giardino di Versailles, per una collezione
« Coco rock, dal rock in versione francese,
con una frivolezza molto settecentesca,
aggiornata con nuovi materiali e nuove
proporzioni… È un modo di giocare
con gli elementi culturali in un altro mondo. »

Pastelli, crinoline, *fichus*, nèi e *culottes*
(emblemi del XVIII secolo), rivisitati
in denim o in plastica, si abbinano a parrucche
dai colori elettrici (tagliate alte sulla nuca con
code di cavallo attaccate per mezzo di nastri)
e a sneaker dorate a suola alta per uno stile
giovane e femminile.

« Volevo qualcosa di frivolo e leggero, –
conclude il creatore. – La frivolezza è un
atteggiamento salutare: conosco persone
che si sono salvate grazie alla frivolezza. »

« NEW VINTAGE »

La collezione « New vintage » reinterpreta i classici
di Chanel valorizzando lo straordinario savoir-faire
degli atelier della maison. « Propone qualcosa
che potrebbe durare, o almeno lo spero! –
dichiara Lagerfeld all'AFP. – È sempre la stessa
allure [Chanel], lo stesso spirito, lo stesso nome,
lo stesso concetto, ma in versione contemporanea. »

« La haute couture dev'essere ciò che nessun
altro può fare – aggiunge il *couturier*. – I tweed,
per esempio, non sono affatto dei tweed:
sono interamente ricamati [e non tessuti] il che,
in certi casi, significa tremila ore di lavoro. »
Le aracnee composizioni elaborate dal *plumassier*
Lemarié costituiscono un altro punto di forza
della sfilata, culminante nell'apparizione della sposa
con un abito composto da una splendida gonna
e da un alto collo di piume.

Gli elementi della collezione si armonizzano
tra loro sia per la delicata palette ispirata a Marie
Laurencin (v. pp. 494-497), a base di grigio, bianco
sporco, nero e infinite sfumature rosa chiaro,
sia per i collant argentati che richiamano i fili
d'argento ricamati nei « tweed » della collezione.

ENERGIE RINNOVABILI

Con le sue gigantesche pale a vento e la passerella di pannelli solari, il décor creato al Grand Palais annuncia uno dei temi centrali della collezione: le energie rinnovabili. « L'idea portante era il vento, l'aria, la leggerezza – spiega Lagerfeld. – Pura, pulita, leggera, fresca. Tutto si fonda sul volume, ma un volume aereo. »

« Ci sono nuove proporzioni e nuovi materiali – continua il couturier. – Per questa collezione volevo qualcosa che 'facesse Chanel' ma senza i soliti elementi che tutti si aspettano: niente fiocchi, niente catene, niente camelie, niente classici bijoux Chanel. Ne ho mantenuto uno solo, la perla, esagerata, ingrossata, ingrandita e moltiplicata: sostituisce i bottoni. »

Fa la sua apparizione anche una smisurata borsa rotonda Chanel: « è da spiaggia: il telo da bagno ha bisogno di spazio. Dopo di che la si può piantare nella sabbia e appenderci la roba. Ma è l'unico capo con il logo Chanel: per il resto niente logo – a parte qualcuno minuscolo su certe perle, ma pochi... Mi piace l'idea che, senza ricorrere ai vari simboli Chanel, tutto sia ugualmente riconducibile al suo stile: una sfida che ho posto a me stesso. »

ROMANTICISMO SCOZZESE

Presentata nel palazzo Linlithgow (ex feudo della famiglia Stuart e luogo di nascita di Maria Stuarda, futura regina di Scozia) presso Edimburgo, la collezione rende omaggio agli antichi legami esistenti tra Chanel e la Scozia.

Negli anni '20 Coco Chanel trascorse con il duca di Westminster varie vacanze in Scozia (dove fece addirittura ridecorare Rosehall, la dimora del duca nelle Highlands, nella contea di Sutherland) scegliendo il tweed scozzese come emblema del proprio stile. La maison, interessata a proseguire la tradizione, ha rilevato la storica manifattura del cachemire scozzese Barrie Knitwear, aggiungendola agli atelier di *métiers d'art* d'élite.

Il motivo ispiratore della collezione è stato l'immaginario incontro tra « Maria Stuarda, antica regina di Francia divenuta un'icona della moda di un tempo, e Coco Chanel che, in un certo senso, è stata la regina della moda francese: uno stile romantico con un tocco di crudeltà ».

UNA FORESTA INCANTATA

Quest'« interpretazione gotica del *Sogno
di una notte di mezza estate* », come la definisce
Vogue, è ambientata in un décor interamente
costruito nel Grand Palais; secondo Lagerfeld
è « un misto tra una foresta incantata
e un antico anfiteatro di legno ».
Tra le sue fonti d'ispirazione il *couturier* cita
anche il patrimonio culturale e le foreste intorno
a Weimar, centro del romanticismo tedesco
alla fine del Settecento: « Non c'è niente
di più elegante di un certo tipo di malinconia »,
afferma.

Ricca di sontuosi ricami (« li adoro, mi piace
l'idea di creare ricami che sembrino degli
imprimé: è il massimo della raffinatezza, perché
nessuno si rende conto che i fiori di un vestito
possono richiedere duemila ore di lavoro »,
spiega Lagerfeld) e di motivi floreali anni '30
(provenienti dagli archivi del Victoria and Albert
Museum), la collezione introduce le « spalle
cornice », come le ha battezzate Lagerfeld,
« che mettono in valore il collo e le spalle,
ma aggiungono anche volume alla silhouette ».

La sfilata termina non con una, ma con due spose
dagli identici abiti bianchi: un modo elegante
da parte del creatore di dichiarare il proprio
sostegno alla legge francese che autorizza
i matrimoni omosessuali.

PIANETA CHANEL

Al centro del Grand Palais troneggia un enorme globo ricoperto di bandierine con la doppia C indicanti i punti delle boutique Chanel nel mondo, intorno al quale le modelle girano al suono di *Around the World* dei Daft Punk: la collezione si annuncia come un chiaro omaggio al potere internazionale di Chanel.

« Alla base di quest'idea ci sono due motivi – spiega Karl Lagerfeld. – Il primo è che Coco Chanel aprì la sua prima boutique esattamente cent'anni fa a Deauville, e che oggi ne esistono trecento al mondo. L'altro fatto interessante è che dal Medio Oriente alla Cina la gente ama la moda francese e adora Chanel, perché noi creiamo un prodotto che la gente continua a desiderare… È un omaggio al mondo e a una maison Chanel mondiale. »

La silhouette s'impernia in gran parte sul movimento. Colore dominante il grigio, eccettuati gli sprazzi di colore dei capelli a elmetto (secondo il creatore versioni in pelliccia della famosa pettinatura a caschetto di Anna Wintour). « Tutto è color argento. Ho eliminato quasi ogni doratura per sostituirla con l'argento, l'acciaio e il grigio, perché il tema principale della collezione va dal nero al grigio. I colori delle ombre, molto misteriose », dice Lagerfeld.

CHANEL IN ASIA

Coco Chanel non è mai stata a Singapore,
ma Karl Lagerfeld ha deciso che (dopo
l'Europa e gli Stati Uniti) era ora di portare
l'annuale collezione crociera della maison
in Asia e, per l'occasione, di tornare
ai tradizionale elementi Chanel.

« Nella collezione d'Edimburgo (v. pp.
532-537) ho messo talmente tanti colori
che mi è venuta voglia di una palette Chanel
limitata al beige, bianco, bianco sporco,
avorio e bleu marine – dichiara il *couturier*. –
Ci sono molte forme, con una nuova
proporzione per la gonna aperta: di solito
le gonne lunghe non si portano con scarpe
col tacco, ma le gonne lunghe fatte così, sì. »

E se certi elementi richeggiano la cultura
tradizionale di Singapore, come le tende
tessute in bianco e nero che arredano le case
dell'isola e che hanno ispirato i motivi grafici,
ce ne sono altri del tutto nuovi. Come i gioielli,
per i quali Lagerfeld ha creato « delle catene
quasi militari color acciaio con falsi diamanti,
visto che Chanel era famosa per la sua tendenza
a mescolare il vero al falso. Quindi gioielleria
da place Vendôme, ma mista a pesanti catene
militari. »

« TRA L'IERI E IL DOMANI »

« Siamo tra l'ieri e il domani... una transizione
tra il mondo di una volta e il futuro »: così
Lagerfeld descrive la collezione per la quale
il Grand Palais si è trasformato in un vecchio
teatro in rovina, la cui scena si apre sulla veduta
di una megalopoli futurista.

Ispirata al cinema, la collezione rievoca vari
film cult – da *Metropolis* di Fritz Lang (uno dei
preferiti di Lagerfeld) a *Blade Runner*, con la
replicante Rachel – mentre pettinature e cappelli
richiamano il famoso taglio di Grace Jones.

L'eccezionale savoir-faire degli atelier di haute
couture Chanel, dal ricamatore Lesage al *plisseur*
Lognon, appare evidente nei complessi ricami
e nei tridimensionali effetti tessili che
guarniscono quasi ogni silhouette:
« Una raffinatezza grafica postmoderna.
Anche questo è Chanel, ma per un altro secolo »,
commenta il *couturier*.

L'ARTE CHANEL

In onore di questa prima « esposizione d'arte »
Chanel, il Grand Palais si trasforma in una
gigantesca galleria di pittura e scultura.
Le opere, tutte firmate Karl Lagerfeld,
vanno dagli imponenti flaconi di profumo
scolpiti in marmo a una cascata di catene
da borsetta.

Al suono di *Picasso Baby* di Jay Z, il *couturier*
presenta piccoli capolavori di ineffabili tweed
destrutturati e ristrutturati, tessuti con fasce
di tulle, campioni colorati ispirati a un catalogo
di colori tedesco degli anni 1900, e larghi
pantaloni di pelle rosa o grigia portati
con pull di cachemire annodati alla vita.
Le indossatrici esibiscono un vivace maquillage
che Lagerfeld definisce « pointillista », mentre,
sempre a suo dire, le pettinature sono una specie
di « frangia con le ali ».

Il tema artistico prosegue negli accessori:
zainetti Chanel dipinti con lo spray e grandi
cartelle da disegno abbinati ad ammassi di
braccialetti colorati e a collane e anelli oversize
di perle asimmetriche.

Il tailleur Chanel è rivisitato in molteplici versioni
multicolori, tra cui delle « giacche senza la parte
anteriore, molto belle portate così sulle spalle,
perfette e leggere per l'estate », dice Lagerfeld.

Si notano anche varie tendenze della stagione:
le brillanti tonalità metalliche, la spessa trina
di cotone, gli scolli asimmetrici e i giochi di
trasparenze tra cui, sulle mani, guanti senza dita
come i famosi mezziguanti portati da Lagerfeld.

IL FAR WEST

Per questa collezione *métiers d'art* Karl Lagerfeld
segue le tracce di Coco Chanel a Dallas dove
la creatrice si recò nel 1957 per ricevere il Neiman
Marcus Award (l'« Oscar » della moda) dalle
mani di Stanley Marcus, cofondatore
dei negozi Neiman Marcus.

« Ammiro e amo l'America. È lì che ho fatto
fortuna. Per molti americani […] la Francia
sono io », diceva Gabrielle Chanel, citata
da Paul Morand in *Le Allure di Chanel*:
e in effetti la stampa e i clienti americani
sostennero la *couturière* per tutta la sua carriera.

Stavolta tocca a Lagerfeld essere a Dallas
per ricevere la ricompensa a qualche giorno
di distanza dalla presentazione di una speciale
collezione Parigi-Dallas al Dallas Fair Park.
Ispirato al Texas di prima della guerra
di Secessione e al raffinato stile decorativo
americano d'inizio Ottocento, il *couturier*
dà vita al fantasma e al romanzo del Wild West:
tweed, cuoio, denim e mussola sono guarniti
di simboli amerindi e di stelle (un motivo
molto amato da Chanel e che qui diventa
un riferimento alla bandiera a stelle e strisce).

Le modiste della Maison Michel hanno creato
una panoplia di Stetson ispirati all'epoca della
guerra di Secessione (« volevo a tutti i costi
i cappelli di quel periodo – dice Lagerfeld, –
e non i soliti cappelli da cow-boy che tutti
conoscono »).

« Avevo voglia di andare da Millicent Rogers
[collezionista d'arte amerindia] a Taos
[Nuovo Messico] fino a Lynn Wyatt [donna
di mondo e filantropa texana]. È una certa idea
del Texas, ma non del solito Texas. Ho cercato
di evitare le ragazze pon-pon e il look dei film
hollywoodiani con John Wayne: non che abbia
qualcosa contro, ma quello che propongo è più
romantico… Un po' come i western del cinema
muto, quando erano molto più poetici. Volevo
un tocco di poesia », spiega Lagerfeld.

CAMBON CLUB

In questo « night-club di un'altra galassia »,
battezzato da Karl Lagerfeld Cambon Club,
le indossatrici calzate di sneaker haute couture
scendono correndo e saltellando la maestosa
scalinata, mentre Sébastien Tellier e la sua
orchestra, tutti vestiti di bianco, suonano
al centro della scena. Questa collezione
haute couture con parastinchi e paragomiti
si annuncia quanto mai giovane e sportiva.

« Niente gioielli, niente borsette, niente guanti,
niente orecchini – niente. È una collezione
tutta sugli atteggiamenti, le silhouette, le forme
e i tagli della storia della moda, dal 1800 circa
fino al 1840-1845, quando le donne portavano
sempre le scarpe basse, anche con i vestiti da
ballo », spiega il *couturier*. Ogni look, abiti
da sera compresi, è quindi abbinato a sneaker
coordinate create da Massaro, giocate sulla
leggerezza e la trasparenza della mussola di seta,
del pizzo, del tulle e di aerei tessuti ricamati a
lustrini, guarniti di piume o di elementi metallici.

« Mi è sembrato il momento di evidenziare
il punto vita – aggiunge Lagerfeld. – Tra la parte
di sopra, la gonna e il punto vita c'è un'elasticità
che facilita i movimenti. Non si tratta di un unico
pezzo rigido, perché sarebbe del tutto fuori
moda; non è un vestito Belle Époque. Dà
alla couture un'allure nuova e moderna. »

IL SUPERMERCATO
VERSIONE CHANEL

« Credo che abbiamo bisogno di un po'
d'umorismo », dichiara Karl Lagerfeld per
introdurre il décor più grandioso di tutte
le sfilate Chanel: il « Chanel Shopping Center »
nel Grand Palais, con scaffali pieni di merci, casse,
carrelli e cartelli annuncianti le offerte speciali
(tipo: « + 50 % da subito »).

Oltre cinquecento diversi prodotti recano
spiritosi nomi ed etichette: *Lait de Coco*,
acqua minerale *Eau de Chanel*, guanti di
gomma con camelie, cereali *Coco Choco*, scatole
di fazzoletti *Les Chagrins de Gabrielle* (I dispiaceri
di Gabrielle), una motosega con vere catene
Chanel nel reparto ferramenta, gin *Paris-Londres*,
ketchup *Paris-Dallas*...

Citando tra le sue fonti le immagini consumistiche
della pop art, Andy Warhol e la foto *99 Cent*
di Andreas Gursky, Lagerfeld ha ideato la sfilata
come il proseguimento della galleria d'arte creata
per la sua precedente collezione di prêt-à-porter
(v. pp. 556-561) – « [il décor dell'esposizione
Chanel] era un supermercato d'*arte*, perché l'arte
è diventata un prodotto, no? – dice al giornalista
di moda Hamish Bowles. – Mi piace che la moda
faccia parte della vita di tutti i giorni, che non sia
tagliata fuori dal quotidiano, ossia proprio quello
di cui Chanel è simbolo. »

Molti elementi sono uno sviluppo della
precedente collezione Chanel (v. pp. 566-569).
« Dopo il loro ingresso nella haute couture,
le sneaker crescono e nella versione prêt-à-porter
diventano degli stivali », spiega il *couturier*.

Il piglio giovane e sportivo dell'ultima collezione
è ripreso nel prêt-à-porter, che opta per « una
silhouette aderente e molto comoda ». Il punto
vita è sempre marcato, ma con un particolare
innovativo: giacche composte da quattro
a cinque pezzi di tessuto lo sottolineano,
insieme a moderni corsetti con chiusura lampo.
« Il punto vita è comodo perché nei corsetti non
ci sono stecche di balena e lacci come nella haute
couture: si aprono e si chiudono con chiusure
lampo, per poterli aprire e indossare facilmente. »

Il colore è ovunque, con le morbide sfumature
dei tweed a bilanciare le esplosioni di verde
insalata, arancione carota, rosa barbabietola
e giallo limone. Anche gli abiti e gli accessori
lasciano trasparire umoristiche allusioni al tema
del supermercato: cestini della spesa con catene
Chanel, borsette 2.55 coperte di adesivi « 100 %
agnello », bottoni a forma di coperchi di lattine...

« Da Chanel si può giocare con tutto e fare
quel che si vuole, nessuno ci dice cosa fare »,
conclude Lagerfeld.

REVIVAL ORIENTALE

« È uno Chanel per il XXI secolo: un misto tra Vecchio e Nuovo Mondo in una parte del mondo estremamente moderna », dichiara Karl Lagerfeld a proposito della collezione crociera che si svolge in un auditorium color sabbia, costruito per l'occasione a The Island, un'isola artificiale privata al largo di Dubai. « Credo sia giunta l'ora di un revival orientale, perché l'Oriente sta diventando sempre più importante nella storia del XXI secolo », aggiunge.

Per gli imprimé della collezione il *couturier*, che tra le fonti d'ispirazione cita le fiabe, il cinema, i quadri di Delacroix e le creazioni di Paul Poiret del 1914, si è anche interessato alle piastrelle di ceramica dell'XI e XII secolo provenienti dal periodo islamico della Spagna: « è incredibile quanto, a distanza di quasi un millennio, questi motivi floreali sembrino moderni ».

I gioielli, dalle collane d'ispirazione berbera ai diademi a forma di mezzaluna, sono uno dei punti di forza della collezione. « Negli anni 1850 e 1860 andava di moda portare gioielli a forma di luna – spiega alla giornalista di moda Sarah Mower – e, ovviamente, la mezzaluna somiglia a una lettera C – metà della doppia C di Chanel! »

« È la mia visione di un Oriente romantico, moderno – aggiunge. – Dalla moda orientale ho preso quello che trovo sexy e atemporale e con esso ho creato un look moderno. È una collezione fatta per questa parte del mondo ma che, come penso e spero, dovrebbe piacere alle donne di tutto il mondo. »

CEMENTO BAROCCO

Per molti versi architettonica, questa collezione haute couture è presentata su una bianca passerella minimalista, incorniciata da porte scorrevoli che a entrambe le estremità rivelano un caminetto rococò sormontato da un dorato specchio « Chanel » spiccante su un'austera parete grigia.

L'idea è stata ispirata a Karl Lagerfeld dal soggiorno-terrazza ideato da Le Corbusier agli inizi degli anni '30 per l'appartamento di Carlos de Beistegui, l'eccentrico collezionista d'arte, con un caminetto sovrastato da uno specchio rotondo appeso a una parete di cemento. « Mi piace l'idea di mescolare elementi barocchi con tocchi di moderno – dichiara il creatore. – È il tema della collezione: il cemento misto a elementi barocchi, Le Corbusier va a Versailles. »

E il cemento è in effetti presente nella collezione: ridotto in piccole piastrelle, è ricamato, incrostato, traforato a rete, trasformato in bottoni, in galloni e perfino in un piccolo gilet – un'innovazione firmata Chanel, frutto di anni di ricerche (« Mi piace l'idea di ricorrere a materiali che di solito non si usano nella haute couture », commenta Lagerfeld, che continua a infrangere le convenzioni chiudendo la sfilata con una sposa molto incinta).

La collezione annovera anche abiti e gonne a trapezio abbinati a lussuosi infradito, con cinturini arricchiti di pietre e fiocchi di taffetà, direttamente stampati in neoprene: « è una haute couture senza couture – scherza il *couturier*. – Volevo che le modelle sembrassero tanti uccelli dal lungo collo e dai capelli raccolti: dei capelli in disordine avrebbero stonato con il taglio e il perfetto volume degli abiti. Mi piace questo tocco piumato ».

BOULEVARD CHANEL

« Dopo il supermercato (v. pp. 570-575),
bisognava tornare in strada », dichiara Karl
Lagerfeld nel presentare il monumentale décor
di questa sfilata nel Grand Palais: il « boulevard
Chanel », una vera strada parigina bordata
da marciapiedi, impalcature ed edifici
haussmaniani alti venticinque metri.

Sul boulevard la « manifestazione di moda »
propone un assertivo e comodo stile che lascia
largo spazio all'individualità (il coiffeur Sam
McKnight e il maquilleur Tom Pecheux hanno
creato un look speciale per ogni indossatrice)
e al colore (compresi i fiammanti imprimé
riproducenti dei particolari degli acquerelli
dipinti dallo stesso Lagerfeld).

Riprendendo il messaggio a favore
dell'uguaglianza dei sessi promosso dalla
manifestazione (su uno dei cartelli: « Da
Chanel la festa della donna è tutti i giorni »),
la collezione coniuga femminile e maschile:
completi a tre pezzi, lunghi cappotti maschili,
larghi pantaloni con risvolto, gonna
portafoglio e bermuda portati con diafane
bluse velate da colletti alla Berthe e con Derby
dorate che sul davanti sono « da uomo e sul
dietro da donna, con cinturino alla caviglia ».
La sfilata presenta anche la borsa Girl, che
incorpora tutti i codici della giacca da tailleur
Chanel (il tweed, le bordature, i bottoni),
da portare a tracolla o annodata alla vita
« come una giacca », precisa Lagerfeld.

Concepita come un omaggio allo spirito
del Maggio '68, la collezione annovera anche
ciò che il *couturier* descrive come un « pavé
ricamato » (abiti ricamati con rettangoli color
acciaio) e si conclude su un energetico finale
con le indossatrici che brandiscono megafoni
Chanel matelassé al suono di *I'm every woman*
di Chaka Khan.

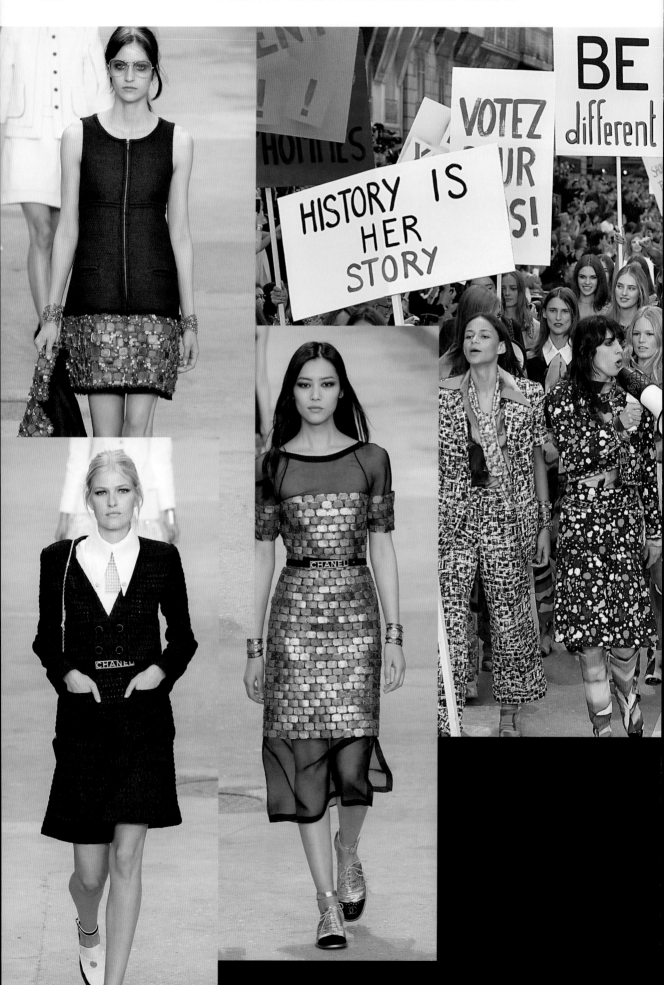

DA SISSI A « CC »

Presentata al castello di Leopoldskron, uno
dei più notevoli palazzi rococò austriaci
del Settecento (forse più noto come location
nel musical *Tutti insieme appassionatamente*
o come sede del festival di Salisburgo
fondato da Max Reinhardt), la collezione
s'ispira all'Austria dell'imperatrice Sissi
nonché a elementi del tradizionale costume
del paese quali i *Lederhosen* e il *Dirndl*,
rivisitati con un tocco di lusso
contemporaneo dagli atelier della maison.

Le piume Lemarié occupano un posto
d'onore: « Nella maggior parte degli abiti
presentati i ricami contengono pochissime
pietre ma molte piume – spiega Lagerfeld.
– Sembrano pellicce volanti: un lavoro
incredibile. »

La Parigi-Salisburgo « verte comunque
sulla giacca – dichiara il creatore. –
Non dimenticate che Coco Chanel trovò
l'ispirazione per la sua giacca da tailleur
in Austria, vedendola addosso al ragazzo
dell'ascensore. Vi aggiunse il tweed
e le bordature per farla diversa, creando
la giacca da donna. »

Nato agli inizi degli anni '50, il celebre
tailleur verrà indossato dalle donne più
eleganti del mondo, tra cui l'attrice austriaca
Romy Schneider, amica di Coco Chanel,
che lo portò sia nella vita privata che sullo
schermo, come nell'episodio *Il Lavoro*,
diretto da Luchino Visconti per il film
Boccaccio 70.

LA HAUTE COUTURE IN FIORE

Descritta dalla maison Chanel come
« una maestosa reinvenzione della sagra
di primavera », la collezione è presentata in
un'immensa serra botanica circolare contenente
un giardino tropicale animato da fiori articolati:
le piante meccaniche si aprono e sbocciano
una dopo l'altra in fiori di origami quando
uno degli indossatori-giardinieri li « annaffia ».

« Sotto i nostri piedi ci sono trecento macchine,
una per ogni fiore, da mettere in moto come un
pop-up animato », spiega Karl Lagerfeld.

La « donna-fiore del nostro secolo » indossa
colori vivaci, deliberatamente più elettrici dei
neri, bianchi beige e pastello che formano la
consueta palette di Chane, e inalbera una nuova
silhouette: corti top che scoprono il ventre (« Il
nuovo décolleté è la vita! », afferma il creatore),
stivaletti di cuoio nero a calza e cappelli oversize
di paglia avvolta nel tulle.

In armonia con il tema floreale, su gonne,
giacche e maniche coperte di paillettes esplodono
mazzi di fiori dai petali di tulle, cuoio, organza e
rhodoid e dai pistilli di perle, mentre delicati fiori
guarniscono gli eleganti berretti di lana.

Creata negli atelier della maison Lemarié
e composta da oltre tremila elementi (un mese
di lavoro per una decina di persone), l'abito
da sposa mescola mussola di seta, organza,
volute di plastica iridescente, strass e perle
in un top coperto di paillettes bianche, portato
su una voluminosa gonna a strascico ricamata
a fiori d'organza, come un'aiuola. Un cappello
a tesa larga, avvolto in una nuvola di tulle,
sostituisce il tradizionale velo bianco.

THE FRENCH COLLECTION

Ricostruita sul modello dei grandi locali parigini quali Maxim's e La Coupole, dove Coco Chanel e la brillante « café society » si riunivano, la brasserie Gabrielle ospita questa collezione, che Karl Lagerfeld definisce « molto francese ».

Reinterpretato, lo stile borghese chic offre « ogni sorta di proposte e proporzioni: per il giorno, per la sera… L'unica costante sono le scarpe: una moderna versione di una delle prime scarpe Chanel, che finora non avevo mai usato », confessa il creatore.

Il sandalo *slingback* bicolore beige e nero, pensato da Mademoiselle Chanel nel 1957, è portato da tutte le indossatrici in una versione con tacco quadrato e nuove proporzioni: innalzata da Lagerfeld al rango della « scarpa più moderna », crea un effetto grafico molto lusinghiero: il beige allunga la gamba mentre il nero accorcia il piede.

Oltre a proporre tweed e sontuose lane nel più puro stile Chanel, la collezione ammicca al tema della brasserie, con grembiuli chiusi da cinture di gros-grain portati su gonne o pantaloni lunghi come un « neo-tailleur a tre pezzi » (omaggio ai grembiuloni tuttora portati da alcuni camerieri francesi) e ricami multicolori che ricordano mosaici in miniatura.

BRASSERIE GABRIELLE

K-POP & POP ART

Dopo Dubai (v. pp. 576-579), Chanel
ha scelto per la sua nuova collezione crociera
il Dongdaemun Design Plaza (il più grande
edificio neofuturista del mondo, creato
da Zaha Hadid) a Seul.

L'arte coreana rivive nei lussuosi ricami
che ricordano gli intarsi in madreperla e oro
delle antiche cassapanche da sposa, tema del
patchwork (adottato in omaggio agli esclusivi
tessuti *bojagi* coreani), e ovviamente l'*hanbok*,
il tradizionale costume la cui vita alta,
le ampie maniche e le spalle arrotondate
sono reinterpretate in vari capi della collezione.

Karl Lagerfeld non si è concentrato solo
sulla Corea tradizionale: anche i colori elettrici,
l'acidula estetica e l'iper-energia della K-pop
sono presenti nella collezione e nel décor,
che il *couturier* descrive come « una moderna
versione della scena pop art come, a mio avviso,
potrebbero interpretarla i coreani ».

Oltre agli onnipresenti, imponenti gioielli
(tra cui una « nuova camelia » ricamata a mano),
le indossatrici indossano scarpe decolleté a punta
quadrata o babies di vernice con calzino integrato
– « una collezione ispirata alle antiche tradizioni
coreane, rivisitate in stile moderno », conclude
Lagerfeld.

UN CASINÒ HAUTE COUTURE

Seduti ai lussuosi tavoli da roulette e black jack targati Chanel, invitati scelti – tra cui Julianne Moore et Kristen Stewart con addosso i più bei pezzi in platino e diamanti della maison (riedizioni della celebre collezione « *Bijoux de diamants* » creata nel 1932 da Coco Chanel) fanno il loro gioco assistiti da eleganti croupier. Questa lussuosa collezione haute couture, presentata in un casinò Art déco, s'ispira al glamour dei più esclusivi stabilimenti dell'epoca di Coco Chanel.

Le creazioni di Karl Lagerfeld, tuttavia, uniscono la tecnologia d'avanguardia al savoir-faire della haute couture: la giacca tailleur Chanel, qui reinventata in versione diritta con spalle squadrate, crea un effetto tridimensionale grazie a una tecnica di sinterizzazione laser selettiva. Bando a tessuti e cuciture: la struttura del tailleur è fabbricata da una stampante 3D in un unico pezzo dalla struttura morbida. Usato come base per le *petites mains* degli atelier, il *matelassage* traforato così prodotto è poi ricamato con zecchini e guarnito di galloni. « L'idea portante era di prendere la giacca più iconica del XX secolo e farne una versione XXI che, dal punto di vista tecnico, a quell'epoca non era immaginabile. La giacca è stampata in un unico pezzo, senza cuciture. », spiega il creatore.

Anche l'abito da sposa è reinterpretato in modo contemporaneo: Kendall Jenner incarna una sposa in smoking di satin bianco, con un lungo velo di tulle ricamato che, partendo dalle spalle, forma uno strascico non convenzionale.

« CHANEL AIRLINES »

Dopo essere atterrata con i suoi jet
a Los Angeles (vedi pagg. 400-401)
e aver usato come passerella per la haute
couture un aereo a grandezza naturale
(vedi pp. 514-515), la maison invita
i suoi ospiti a presentarsi all'aeroporto
di Parigi Cambon, Terminal 2C, Gate N°5,
all'interno del Grand Palais, dove sono stati
allestiti veri e propri banchi di check-in e un
tabellone delle partenze su cui campeggiano
le location di precedenti sfilate crociera
e *métiers d'art*.

« I viaggi in aereo fanno ormai parte
della nostra vita, così ho deciso di renderli
più perfetti di quanto non siano in realtà »,
dichiara Karl Lagerfeld. « Volevo riprodurli
non quali sono, ma quali dovrebbero essere:
quello della Chanel Airlines è un jet privato
a disposizione di tutti. »

Lo stilista gioca con motivi « aeroplano »
quali la segnaletica aerea e il tipico lettering
dei tabelloni (vedi p. 619, a sinistra), elementi
che troviamo su ensemble completati
dalla « Coco Case », la carry-on lanciata
di recente, da occhialoni da aviatore
con motivo trapuntato e da un trucco blu
che riproduce gli inconfondibili contorni
di una mascherina da notte.

I completi che aprono la sfilata, tuttavia,
non sono ciò che sembrano. La stoffa, che
a prima vista si direbbe tweed intrecciato,
è in realtà ricamata a mano (vedi a destra),
e l'iconica rifinitura non è di tessuto: la
passamaneria tradizionale è stata fotografata,
poi le foto sono state stampate su silicone,
a sua volta usato per i bordi a contrasto
(vedi pagina accanto).

La palette tricolore dell'Air France prende
vita in una serie di lunghi abiti drappeggiati
sopra i pantaloni, qua e là ravvivata da
lampi d'argento. « Ho fatto largo uso
della lucentezza dell'argento ispirandomi
agli aerei quando riflettono il sole »,
aggiunge Lagerfeld.

Le « scintillanti giacche a spina di pesce
e i rigidi corpetti dai grandi fiocchi neri »
che chiudono la sfilata (vedi p. 619, in alto
e in basso a destra) rimangono, seppur privi
dei soliti bottoni dorati, « senza tempo
e inconfondibilmente Chanel », commenta
Vogue.

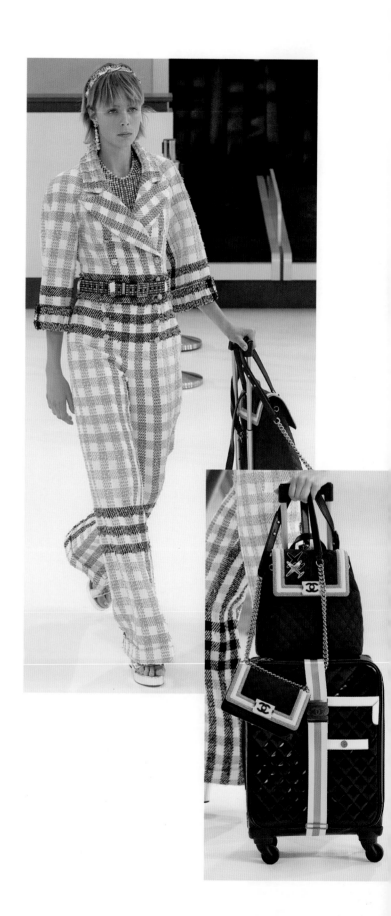

« PARIGI A ROMA »

Presentata nello Studio N° 5 di Cinecittà
(dove negli anni '60 Fellini girò *La Dolce Vita*),
questa collezione *métiers d'art*, pur rimanendo
indiscutibilmente parigina, rende omaggio
al cinema italiano.

« È una Parigi a Roma », ribadisce Lagerfeld.
« Ma Chanel è una maison francese, e la
collezione è fatta in Francia dai più esperti
e talentuosi artigiani del mondo. »

Nelle acconciature ad alveare, come pure
nei completi dal taglio classico e nelle palette
da film noir si colgono echi delle *femmes fatales*
tanto care alla Nouvelle Vague degli anni '60
(Jeanne Moreau e Delphine Seyrig indossavano
modelli di Gabrielle Chanel, e non solo sul set).

Alla base di questa silhouette troviamo
« le classiche mules Chanel, che non avevamo
mai usato. L'immaginario collettivo le percepisce
come un elemento tipicamente parigino quando
si accompagnano a calze lavorate », spiega
il *couturier*.

La lingerie e le rifiniture in pizzo valorizzano
le sfumature sensuali della collezione.
« Suggerire l'erotismo anziché esibirlo in modo
sfacciato è un'arte squisitamente parigina »,
commenta Sarah Mower sulle pagine di *Vogue*,
« ma osservando questi modelli da vicino si nota
qualche tocco fetish, come i choker o gli anelli
di metallo sulle cinture. »

Tra le strizzatine d'occhio all'atmosfera romana,
i nastri di pelle simili a farfalle con ricami fatti
di perline della maison Lesage (vedi p. 622,
a destra), come pure le piume marmorizzate
dipinte a mano (vedi p. 623, in basso).

La scenografia monocromatica evoca
« una Parigi perfetta, molto romantica
e un po' sporca, come una foto di Atget »
e comprende persino un « cinema »,
in cui viene proiettato in anteprima
il cortometraggio di Lagerfeld *Once
and Forever*, con Kristen Stewart e Geraldine
Chaplin – backstage di un (immaginario)
biopic su Gabrielle Chanel: insomma, un film
dentro un film su un set all'interno di un set.

HAUTE COUTURE ECOLOGICA

« Molto puro, molto zen », così descrive
Lagerfeld l'edificio in legno costruito
all'interno del Grand Palais che fa da sfondo
a una sfilata tutta dedicata alla natura.

« Ci troviamo in mezzo al nulla, in una casa
da sogno che dovrebbe essere reale », aggiunge
il *couturier*. « Volevo portare in passerella
un'ecologia d'alta moda, elegante, lussuosa…
e creare incantevoli ricami con legno, paglia
e altri materiali. »

Oltre al legno e ai fiori, le api spiccano tra
i motivi chiave della collezione, ricamate
sul tulle o trasformate in gioielli sugli abiti,
come simbolo della natura che si rinnova.
Quanto alla palette, Lagerfeld si limita
volutamente ai toni del beige-terra, qua e là
illuminati da lampi blu scuro, nero, bianco
e oro: « Gabrielle Chanel era la regina del beige
e io non avevo mai fatto una collezione beige.
Sono convinto che sia il colore ideale per modelli
come questi, dalle linee pure. »

« Il punto di partenza è stata la silhouette »,
prosegue lo stilista. Le maniche ovali vengono
messe in risalto da lunghe gonne a matita con
spacco, abbinate a tacchi alti e suole in sughero,
nonché a pochette da cintura in cui riporre
comodamente il cellulare. « Per questa nuova
borsetta », continua Karl Lagerfeld divertito,
« ho voluto rivisitare quelle usate dalle castellane
del Quattrocento per riporvi le chiavi. »

« Dalle chiome gonfie e morbide delle modelle
ai tagli arrotondati dei vestiti la collezione risulta
classica ma fresca, e il lavoro sartoriale è pura
magia », scrive Suzy Menkes per *Vogue*.
« [Lagerfeld] è riuscito a catturare un bellissimo
momento-moda », che si conclude con un gran
finale in cui le persiane della casa si spalancano
per rivelare, insieme allo stilista, tutte le modelle
che hanno sfilato.

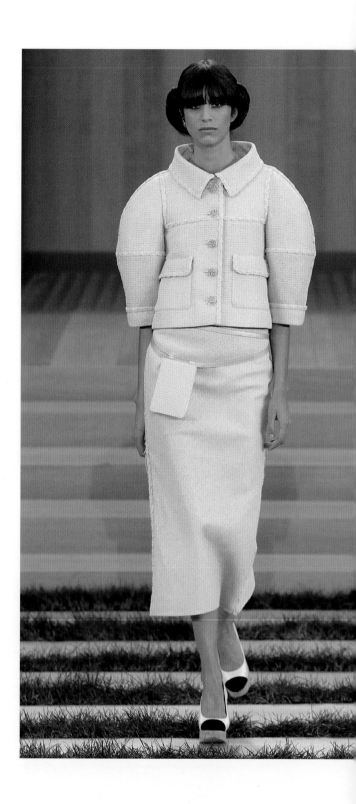

PERLE E ROSA

« Tutti sognano di trovarsi in prima fila,
e stavolta lo saranno! La moda diventa
democratica, quindi basta con le lamentele »,
dice Karl Lagerfeld. « Volevo che tutti potessero
vedere gli abiti e il lavoro che c'è dietro. »
E così, dentro il Grand Palais appare un'immensa
passerella ispirata alle sale del 31, rue Cambon,
con tanto di pareti a specchio e schiere di sedie
dorate.

Gli ospiti possono ammirare da vicino i dettagli
del tweed ricamato, le morbide maglie, la nuova
pelle trapuntata « Chesterfield » (vedi p. 632,
in alto a sinistra), gli stivali da cavallerizza,
gli abiti da sera impreziositi da lacci, gonne
e abiti sempre da sera con cerniere laterali
per il massimo della comodità. « Questa sfilata
parla della vita di tutti i giorni », dichiara
Lagerfeld.

Gli ensemble sono accompagnati da cappelli
da equitazione in tweed, pelle o feltro con
cinturini ornati da croci bizantine, perle e
camelie. « Ho voluto creare dei nuovi cappelli
perché ormai non li fa più nessuno », spiega
il *couturier*. « Sono come dei caschi, da indossare
anche in moto o in bicicletta: essendo di cuoio,
sono piuttosto resistenti. »

Tutta la collezione è pervasa da vivide sfumature
di rosa – « *sorbet framboise* », ci tiene a precisare
Lagerfeld, « non rosa boudoir. »

Tuttavia, secondo *Vogue*, a rubare la scena
è « il grande ritorno dell'iconica collana di perle
di Chanel a giri sovrapposti: più giri ci sono,
meglio è. » Perle che ritroviamo ovunque,
« sul tweed, sul tubino nero e persino
sul sottogola di un cappello. Così eleganti.
Così Coco », conclude Suzy Menkes.

« COCO CUBA »

Per presentare la sua prima collezione crociera
a Cuba, Chanel sceglie il marmo del Paseo
del Prado, l'emblematico viale che attraversa
la capitale dell'isola, e la sfilata si svolge proprio
il giorno in cui, per la prima volta in quasi
quarant'anni, una nave da crociera americana
attracca a L'Avana.

« Cuba è un luogo unico al mondo », dichiara
Karl Lagerfeld. « I colori, le auto... c'è davvero
qualcosa di molto emozionante. Amo la sua
identità e ho sempre desiderato visitarla. »
Lo spettacolo rende omaggio alla straordinaria
tradizione musicale dell'isola con esibizioni
delle Ibeyi (Lisa-Kaindé e Naomi Díaz,
gemelle franco-cubane figlie del percussionista
Angá Díaz, dei Buena Vista Social Club)
e dei Rumberos de Cuba, cui viene affidato
il gran finale.

Da sempre amante della cultura latina, Lagerfeld
descrive la collezione come « l'idea di una Cuba
chic e moderna... con capi facili da portare. »
Dalle magliette « Viva Coco Libre » ai Panama
realizzati a mano, dai motivi che riprendono
auto d'epoca alle slider incrostate di perle e alle
minaudières simili a « scatole di sigari cubani »
(vedi pagina accanto, in basso a sinistra),
il *couturier* « propone abiti che idealizzano
l'essenza del cruise wear », scrive Tim Blanks.

« Una collezione che richeggia di leggeri
temi cubani », secondo il *Women's Wear Daily*,
che continua: « Le pieghe verticali delle
guayaberas – le tipiche camicie da uomo
dell'isola – vengono incorporate nelle giacche
Chanel; tinte e slogan da spiaggia spiccano
su tweed ruvidi e t-shirt souvenir. E sugli abiti
di paillettes ecco comparire i vivaci colori
delle auto anni '50. »

« C'è tutto! », commenta l'attrice cubana Ana
de Armas. « Le grandi maniche dei ballerini
di rumba, le infradito portate tutto il giorno
dalla gente, i legging indossati dalle ragazze
e il basco alla Che Guevara con il logo Chanel
al posto della stella. »

« Una Cuba divenuta un sogno d'alta moda »,
riassume Suzy Menkes sulle pagine di *Vogue*.

« TAGLI GRAFICI »

« Per creare una grande collezione occorrono
grandi atelier », dichiara Karl Lagerfeld, che
dedica questa sfilata agli atelier di rue Cambon,
ricreati per l'occasione all'interno del Grand
Palais, con le sarte della maison intente a lavorare
accanto al pubblico. « Non possono mai assistere
agli show ed è giusto rendere loro omaggio »,
aggiunge lo stilista. « Ho pensato che farle
partecipare fosse un'idea moderna che avrebbe
permesso alla gente di notarle come meritano,
vista la loro incredibile maestria. »

Intitolata « Tagli Grafici », la collezione
reinventa le proporzioni del completo Chanel
secondo linee architettoniche più spigolose,
soprattutto quelle delle spalle « ampliate e
appiattite per farle apparire bidimensionali, prive
di struttura interna », spiega il *New York Times*.
Lagerfeld ci tiene a sottolineare che tale effetto
è stato ottenuto senza l'uso di imbottiture:
« È ciò che i francesi chiamano *biseautage*,
ossia la smussatura di un angolo. Sta tutto
nel taglio del materiale… La realizzazione
è impeccabile. »

Per la sera, gli effetti geometrici si attenuano
in modelli « ispirati alle eroine disegnate a fine
Ottocento da Aubrey Beardsley », spiega
la maison. Abiti lunghi di pizzo ricamato,
taffetà, mussola, organza, tulle di seta, radzimir
o georgette spesso sovrapposti e riccamente
decorati, bordati di piume e perle, e dalle pieghe
perfette in grado di creare una silhouette
delicata, mettendo al tempo stesso in risalto
il virtuosismo delle *petites mains*.

« Lagerfeld ha deciso di mostrarci chi e che cosa
occorre per far nascere gli abiti di cui il mondo
gli riconosce il merito. È stato un gesto davvero
generoso da parte sua », commenta Tim Blanks.
« La più chiara e suggestiva dimostrazione – anzi,
la prova – del reale valore della haute couture »,
conclude Sarah Mower sulle pagine di *Vogue*.

« TECNOLOGIA INTIMA »

Dopo aver reso omaggio al lavoro svolto
dalle *petites mains* (vedi p. 638), Lagerfeld
si rivolge all'immateriale per questa nuova
collezione, presentata in un colorato
« Chanel Data Center » costruito
sempre all'interno del Grand Palais.

Il *couturier* reinventa l'iconico tailleur
in tweed per « robot giunti da un futuro
sconosciuto », come suggerisce il look
inaugurante la sfilata (a destra). « Questo
significa che Chanel è senza tempo e,
come dicono i francesi, *immortel* »,
afferma scherzosamente Lagerfeld.

« Il data center è qualcosa che appartiene
al nostro tempo… mi sono innamorato
di questa idea e l'ho tradotta non in una
tecnologia fredda, ma intima », spiega poi
lo stilista. La collezione è un mix di capispalla
immaginati come « armature per affrontare
il mondo esterno » e di morbidi abiti color
carne ispirati alla lingerie. « C'è qualcosa
di poetico in questo tipo di lingerie »,
aggiunge. « Spetta a noi il compito
di mettere l'anima nella macchina. »

A sottolineare il tema della tecnologia
digitale ecco i « dataccessories » (dalle
borsette con schermi a LED, su cui
appaiono messaggi, alle clutch a forma
di robot), gli occhiali da sole in stile Matrix
con lettere che scorrono dall'alto in basso
formando il nome della maison. C'è anche
un tripudio di giocosi gioielli, tra i quali
una rielaborazione del famoso motivo
a croce bizantina di Chanel che assume
la forma a X dei pulsanti dei controller,
declinandosi anche in orecchini, spille,
bracciali e pendenti.

Persino i tessuti vengono reinventati
per rispecchiare il tema della collezione,
con ricchi « tweed effetto pixel » (« fili
di cotone e denim ricordano fasci di cavi
elettronici, mentre la struttura del tweed
viene digitalizzata per creare un nuovo
motivo e i bottoni della giacca, rimpiazzati
da strisce di velcro, delineano la struttura
del capo », dichiara la maison). E poi,
tonalità elettriche ispirate al bagliore
dei neon e dei display… « come se
le componenti color confetto di un milione
di circuiti stampati fossero state smontate
e riassemblate », riassume Tim Blanks.

UN BALLO AL RITZ

Dopo aver evocato Parigi e Roma (vedi p. 620), la maison riporta la sua sfilata *métiers d'art* nel luogo che Gabrielle Chanel aveva eletto a dimora: il leggendario Ritz Paris dove Karl Lagerfeld, verso la fine degli anni '90, aveva presentato tre collezioni haute couture (vedi pagg. 218, 226 e 234).

« In questo hôtel nel cuore di Parigi giungevano donne da ogni parte del mondo, considerate *parisiennes* anche se non erano francesi », spiega lo stilista. « Ecco perché [la collezione] si chiama 'Paris Cosmopolite'. »

E a proposito del « bel mondo » degli anni '20/'30 che ha voluto rievocare con questa sfilata, il *couturier* aggiunge: « A quei tempi la gente non ballava solo ai ricevimenti ma anche al ristorante dove, dopo cena, ci si tratteneva a danzare – la trovo una cosa molto chic. »

In passerella, insieme alle altre modelle troviamo vari ambasciatori e amici di Chanel (da Cara Delevingne a Lily-Rose Depp, da Georgia May Jagger a Pharrell Williams) che prendono parte alla sfilata, ambientata all'ora di pranzo, all'ora del tè e all'ora di cena nei dorati saloni dove volteggiano affascinanti ballerini in frac.

Secondo il *Women's Wear Daily*, i tailleur color crema impreziositi da trecce dorate che aprono le danze « evocano le boiseries e le dorature che si trovano in tutto il Ritz, specialmente nella suite Coco Chanel », mentre « i motivi delle maglie sembrano dialogare con l'elaborata carta da parati e i tappeti sparsi nell'albergo. »

« Per me, questa collezione riflette una certa idea di Parigi: Gabrielle Chanel, il Ritz, il Bar Hemingway », conclude Karl Lagerfeld. « La Parigi che tutti rivorrebbero indietro. »

SPECCHI D'ARGENTO

Sotto la cupola del Grand Palais viene eretto
un monumentale cilindro coperto di specchi,
omaggio alla celebre scala degli specchi Art Déco
voluta da Gabrielle Chanel per il numero 31 di
rue Cambon, e il pavimento tutto a specchi fumé
riprende il caratteristico trapuntato della maison.

« Volevo un grande insieme d'argento, specchi,
metallo, alluminio », spiega Karl Lagerfeld.
« Mi pareva la cornice perfetta per questa sfilata.
Volevo che tutto fosse impeccabile, pulito, e che
le ragazze sembrassero tanti bozzetti di moda
in carne e ossa. Tutti i ricami sono astratti,
niente fiori né fronzoli. »

Questo approccio minimalista è mitigato
dal ben noto amore dello stilista per
le piume e da una reinvenzione più morbida
e drappeggiata del tailleur Chanel: in questa
versione, ispirata alla *Donna Cucchiaio*
di Alberto Giacometti, il punto vita sale,
sottolineato da una cintura piatta, mentre
i fianchi si arrotondano. « Il drappeggio
dev'essere impeccabile », aggiunge Lagerfeld.
« Volevo che ogni cosa fosse perfetta. »

« La silhouette ariosa sembra infondere
nuova vita ai classici tailleur in tweed e rafforza
la collezione dandole un taglio nettamente
moderno », scrive il *Guardian* elogiando
il lavoro del *couturier*.

Gli abiti da sera sfoggiano preziosi ricami
a specchio ed esplosioni di piume su orli
e maniche. « Nonostante la sontuosità
dei materiali, l'essenza rimane chic », riferisce
il *Women's Wear Daily*. « Gli abiti di questa
collezione rappresentano una proposta attuale
(per non dire visionaria) che nobilita lo sfarzo
fino a renderlo glorioso, in un contesto reale
e adulto. »

CHANEL AIRSPACE

« È un viaggio attraverso il cielo, fino
al cuore delle costellazioni », commenta
Karl Lagerfeld parlando di questa sfilata
presentata presso la « Piattaforma di Lancio
N°5 », allestita dentro il Grand Palais
intorno a un razzo alto trentacinque metri.

« La gente ormai vive incollata agli schermi
senza prestare attenzione al resto del mondo,
meno che mai allo spazio intergalattico »,
aggiunge lo stilista. « Ma per me il cielo
è fonte d'ispirazione… una fantasia d'aria
dedicata alla terra, il che la rende molto
concreta. »

« È così démodé l'idea che si possa
brillare solo nei locali notturni », afferma
il *couturier*, che per i tessuti si ispira al tema
dello spazio, dal « tweed stellare » profilato
di perline (vedi p. 657, in alto a destra)
al vinile lavorato a bolle come la superficie
di pianeti inesplorati (vedi p. 656, in basso
a destra), e poi sceglie tra sfumature
di « argento lunare » e imprimé cosparsi
di astronauti.

Tanti colletti alti, rotondi e bordati
di metallo quasi dovessero sorreggere
autentici caschi di tute spaziali in vista
di un viaggio tra le stelle. « Danno un tocco
di modernità alle classiche maglie, ma
non avete idea di quanto sia stato difficile
realizzarli, dato che ogni vestito e ogni
maglia hanno una taglia diversa », confessa
lo stilista. « È questione di millimetri. »

Le modelle sfoggiano stivali scintillanti
e fasce ricamate di perle e cristalli, borse
a forma di luna (vedi p. 656, in basso a
sinistra), zaini color argento e minaudières-
razzo (pagina accanto), e sfilano attorno
al veicolo spaziale Chanel su una passerella
sopraelevata prima di mettersi in posa per
un inaudito finale in cui il razzo « decolla »
tra nubi di vapore ed effetti pirotecnici.
« Un tocco teatrale d'altri tempi, ideato
dal più grande showman della moda »,
commenta il *Financial Times*.

« LA MODERNITÀ DELL'ANTICO »

La collezione, concepita come un viaggio
immaginario nell'antica Grecia, viene
presentata tra le rovine del Partenone
e del Tempio di Poseidone a Capo Sunio,
riprodotte nella Galerie Courbe del Grand
Palais.

« Considero la Grecia la culla della bellezza
e della cultura, un luogo in cui un tempo
regnava una meravigliosa libertà
di movimento ormai perduta », dice
Lagerfeld. « I Greci avevano qualcosa
che nel tempo è svanito: l'idea che il corpo
non dev'essere coperto o motivo di
vergogna, come è successo nei secoli dopo.
Importante quanto lo è oggi, il corpo
era vissuto con spontaneità, senza artifici,
e lo stesso valeva per l'abbigliamento.
A mio avviso, è questo il messaggio
moderno del mondo classico. »

« Ci vuole sempre un guizzo di novità »,
dichiara Lagerfeld, che interpreta qui il tema
dell'antichità in modo giocoso, con corti
abiti in tweed sfoderati, tagliati per evocare,
come spiega la maison, « la semplicità delle
tuniche mediterranee »; con maglie a motivi
presi in prestito da antichi vasi e fregi;
con abiti drappeggiati abbelliti da « corone
dorate di foglie di quercia e rami d'alloro
mescolati a camelie » e con « semplici abiti
in tela di lino ispirati al guardaroba spartano
con corsetti impreziositi da pietre
multicolori » (vedi p. 661, a sinistra).
Chiude la sfilata una serie di capi di un
bianco virginale dalla vita aderente ricamata
di paillettes per creare l'effetto del marmo
(vedi p. 661, in alto a destra).

« Così come la colonna sonora a cura di
Michel Gaubert affianca alle composizioni
sofisticate di Iannis Xenakis le melodie campy
della band prog-rock Aphrodite's Child,
i vestiti di Monsieur Lagerfeld sono una
Grecia remix, uno sprint di proporzioni
olimpiche attraverso l'iconografia ionica »,
scrive Alexander Fury sul *New York Times*.

Tra gli accessori spiccano i sandali gladiatore
con tacchi « a colonna » e lacci di pelle
intrecciati; foglie di alloro e di ulivo
e ramoscelli dorati indossati come gioielli;
poi nastri ricamati che incoronano il capo,
e persino una minaudière-civetta, omaggio
al simbolo della dea Atena (vedi p. 661,
in basso a destra).

« Attraverso la moda ho voluto esprimere
qualcosa che mi affascina fin dall'infanzia:
il primo autore che ho letto è stato Omero »,
ricorda Lagerfeld.

SOTTO LA TOUR EIFFEL

Presentata ai piedi di una replica della Tour Eiffel alta 38 metri, la collezione è una « lettera d'amore a Parigi », confida Karl Lagerfeld. « Non sono riuscito a ricreare l'intera torre, quindi ne ho nascosto la cima in una nuvola. »

« È la visione di un ritorno della donna parigina », continua il *couturier*. « È tutta una questione di tagli, di forme, di silhouette. Qui le linee sono molto nette e grafiche… l'alta moda deve avere una struttura perfetta e impeccabile. » Sulle pagine di *Vogue*, Suzy Menkes definisce la collezione la « quintessenza dello stile parigino: rigorosa nel taglio ma morbida nelle forme. »

« Lagerfeld si è concentrato sul principale tema che accomuna la Tour Eiffel alla haute couture, ossia la perfezione della struttura », spiega il *Women's Wear Daily*. « Un tema che la cartella stampa sottolinea presentando numerosi modelli fotografati due volte, in bianco e nero e poi in forma di silhouette per mostrarne solo i contorni. »

I materiali sono lussuosi, dal classico raso nero alla preziosa seta giapponese « Mikado » (« un materiale divino perché fluttua – ha un aspetto ricco e pesante, ma in realtà è leggerissimo », commenta Lagerfeld) e, ad animare le spalle, gli scolli e le tasche, troviamo spruzzi di piume « trattate a mo' di pelliccia. »

Per il gran finale, un abito nuziale in raso bianco con ricami di piume della maison Lemarié. « Alcuni tra i presenti hanno posato gli smartphone e tirato fuori i fazzoletti quando la sposa ha cominciato a sfilare lungo il sentiero di ghiaia nel suo abito da sera a vita alta, con le maniche e l'orlo arricciati e ornati di piume, e lo strascico che la seguiva impalpabile come una nuvola », scrive Suzy Menkes. « Uno spettacolo indimenticabile, un'ode a Parigi. »

Questo omaggio alla quintessenza dello stile parigino si conclude quando il sindaco della città, Anne Hidalgo, premia Karl Lagerfeld per il suo contributo alla moda con la massima onorificenza assegnata dalla Ville Lumière, il Grand Vermeil.

CASCATE

Dopo averci portato in un mondo sottomarino
con una delle sue precedenti collezioni (vedi
p. 506), Karl Lagerfeld torna a farsi ispirare
dall'elemento acquatico trasferendosi nei grandi
spazi aperti, con cascate monumentali che
scendono lungo scogliere coperte di muschio
simili alle Gole del Verdon, nel sud della Francia.
« Mi piaceva l'idea dell'acqua, della leggerezza »,
spiega lo stilista. « L'acqua in movimento
è scintillante, effervescente… È una forza vitale
– niente acqua, niente vita. »

Gli orecchini a goccia fatti di vetro e di perle
iridescenti catturano e rifrangono la luce,
mentre la trasparenza diventa il filo conduttore
di cappelli a paglietta, cappucci e cappe in PVC
(impreziosite qua e là da ricami di perle),
ma anche di guanti senza dita e stivali.

Al modello che apre la sfilata, un abito in tweed
e vernice con le spalle ampie indossato da Kaia
Gerber che vediamo per la prima volta sulla
passerella di Chanel (a destra), segue una serie
di scintillanti tailleur in tweed percorso da fili
iridescenti e spesso rifiniti da lunghe frange
per un effetto dinamico in più.

Viene quindi il momento dei blu che « sfilano
in sequenza: denim blu laguna insieme al vinile
blu cristallino; tweed blu turchese associato
a chiffon di seta, stampata in varie tonalità di blu,
e di blu e bianco. » Chiude la sfilata la *petite robe
blanche* con ricami che riproducono la texture
di pietre e rocce (p. 669, in basso a destra).

« Nessuno di questi tessuti può essere acquistato
altrove », sottolinea Lagerfeld. « Sono tutti opera
degli atelier Chanel. » La stampa ha parole
di grande apprezzamento: « L'intricato equilibrio
fra trame dall'aspetto naturale e la maestria
tecnica crea una dinamica mozzafiato »,
scrive Sarah Mower su *Vogue*.

SULLE RIVE DELL'ELBA

Dopo Parigi e l'eleganza cosmopolita del Ritz
(vedi p. 646), Karl Lagerfeld decide di tornare
nella sua Amburgo per presentare la nuova
collezione *métiers d'art*. Come location della
sfilata viene scelta l'Elbphilharmonie, progettata
da Herzog & de Meuron sulle rive del fiume
Elba, nella zona del vecchio porto.

In omaggio agli atelier *métiers d'art* di Chanel,
la collezione reinterpreta il guardaroba
dell'equipaggio di una nave e i codici estetici
della città attraverso lo sguardo del *couturier*:
si passa dalle preziose trecce di lana attorcigliata
della Maison Lesage, ispirate al sartiame delle
navi (vedi p. 672, in basso a sinistra) ai cappelli
da marinaio della Maison Michel, alle casacche
a righe ricreate con piume, ai petali di camelia
che formano eliche, ai bracciali decorati
con ancore e alle clutch simili a container.

« Amburgo è sempre stata un luogo discreto,
non certo una città da red carpet », osserva
Lagerfeld. « Da bambino andavo a scuola con
i figli degli armatori: venivamo qui a giocare
sulle barche, per cui tutto questo mi è molto
familiare. » E aggiunge: « L'immagine
di Amburgo mi resta sempre impressa
nella mente, fa parte del mio DNA,
del mio retaggio spirituale. »

« FANTASIA FRANCESE »

« Dopo il più austero look amburghese
(vedi p. 670), ho preso la direzione opposta
– verso la fantasia e la leggerezza francesi »,
spiega Karl Lagerfeld. « Dalla durezza
alla dolcezza. »

Fiori, luce e sfumature primaverili dominano
l'intera collezione con verdi rigogliosi
e varie tonalità di rosa: dal rosa pastello
al corallo pallido, a vividi tocchi di fucsia.

Una collezione che evidenzia l'eccellenza
degli atelier haute couture della maison,
attraverso un mix di elaborate decorazioni
(broccati di perle, ricami di strass, intricate
plissettature e decorazioni di piume)
e di « diaboliche » tecniche di realizzazione
quali le nuove « spalle sfaccettate » dei tailleur
(un'architettura a cuciture multiple che offre
una forma arrotondata senza bisogno
di imbottiture importanti) e le « tasche
sorridenti » tagliate su giacche, abiti,
tute e tuniche.

La scenografia ricrea un giardino alla francese
settecentesco da cui emerge un abito svasato
con maniche a palloncino ricoperte di piume
(p. 677, in alto) che ondeggia a ogni passo
di Kaia Gerber, seguito da abiti bustier
reinventati, con corpini ricamati da cui
sbocciano gonne a pieghe (vedi p. 678, a destra).
Ma il romanticismo è smorzato ovunque
da un tocco maschile, come nell'abito da sposa
abbinato a stivali a tacco basso, gilet da smoking
e pantaloni a vita alta (p. 679).

« Si respira un mood romantico », commenta
Lagerfeld. « Non volevo fare una collezione
romantica – ma è andata così… È pensata
per essere bella in modo molto francese.
Non sono nato in Francia e proprio per questo
ho potuto proporre la sua pura estetica senza
cadere in uno sfoggio d'orgoglio patriottico. »

FOGLIE CADUTE

« Adoro i boschi in autunno, con tutte le loro
sfumature marrone e oro…Li trovo bellissimi »,
spiega Karl Lagerfeld presentando una collezione
molto personale e d'ispirazione nordica.
« Ora so di essere una creatura del Nord,
non del Sud. Da giovane non lo capivo,
ma oggi ne sono profondamente consapevole…
Quello che vedete qui è ciò che amo; non
ho cercato di renderlo commerciale. »

« In un certo senso, mi ricorda la mia infanzia »,
continua, « perché la casa in cui da piccolo
ho trascorso ben otto anni (me ne sono andato
quando ne avevo 14 o 15) si trovava in mezzo
a una foresta con piccoli sentieri proprio come
questi. Ma me ne sono reso conto soltanto
in seguito. Questa collezione rappresenta me,
i miei gusti e il mio vissuto, ma nello stesso
tempo è anche molto Chanel. »

Sulla passerella sfilano ottantuno look
dalle tonalità terra, ispirati alla natura, animati
da stampe di fronde, da trecce simili a rami
e da bottoni ornamentali che riproducono foglie,
illuminati dai lampi rossi e rosa dei guanti,
dei colletti e delle sciarpe.

Abiti, giacche e cappotti hanno una linea
allungata senza ostentazione; il velluto nero
a coste iridescente si declina in lunghi e dritti
soprabiti a doppio petto dalle spalle squadrate,
abbinati a scarpe basse di foggia maschile
e a stivali dorati alti fino alla coscia.

« Adoro l'Estate di San Martino », aggiunge
Lagerfeld. « L'autunno è sempre stata la mia
stagione preferita. »

TUTTI A BORDO DE « LA PAUSA »

Dopo aver fatto scalo nella città portuale
di Amburgo (vedi p. 670), Chanel porta il tema
navale a Parigi, a bordo di un transatlantico
lungo oltre 100 metri costruito all'interno
del Grand Palais.

Battezzata « La Pausa », in omaggio alla villa
fatta costruire nel sud della Francia nel 1929
da Gabrielle Chanel, all'epoca della sua storia
d'amore con il Duca di Westminster, la nave
si trasforma in un motivo grafico d'ispirazione
vorticista, stampato su borse a tracolla in vinile
(vedi pagina accanto, in alto a destra)
e sull'elegante pigiama da spiaggia.

In linea con lo stile crociera degli anni '20 e '30,
la collezione ruota attorno a quello che Lagerfeld
chiama il « vestito flessibile, composto da
un top corto e gonna che lasciano scoperta
una fascia di pelle », riferisce il *Women's Wear
Daily*, declinato anche in « una versione da sera
con righe marinare ricamate che si alternano
a inserti di minuscole paillettes in vita e sulle
maniche. »

A fine spettacolo, lo stilista saluta il pubblico
insieme a Virginie Viard, storica Direttrice
di Studio Chanel, prima che gli ospiti
s'imbarchino su *La Pausa* per l'after party.

IL NUOVO « HIGH PROFILE »

Presentata sullo sfondo di una scenografia che ricrea l'Istituto di Francia (sede dell'Académie Française) e i famosi bouquinistes (rivenditori di libri e riviste vintage) del lungo Senna, ecco una dichiarazione d'amore alla capitale francese. « Parigi, con i suoi colori così belli e armoniosi, è la sede naturale della haute couture », dice a Suzy Menkes Karl Lagerfeld, che tra l'altro è un appassionato collezionista di libri.

Il *couturier* rivisita il concetto alla base della collezione « High Profile » (vedi anche p. 402): una linea « definita dalle zip con bordi intrecciati che corrono lungo gli iconici tailleur in tweed e sugli abiti da sera, fendendo le maniche sottili con fodere a contrasto sopra lunghi guanti di pelle senza dita realizzati da Causse; ma anche gonne e abiti che svelano minigonne ricamate », spiega la maison. « Si possono aprire e chiudere le maniche sui lati », precisa Lagerfeld. « È addirittura possibile aprire la gonna: viste di profilo le gambe diventano ancora più belle, di una lunghezza chilometrica. »

In sintonia con lo spirito letterario e francese dello show, la sposa (Adut Akech) indossa una redingote verde pastello ricamata con foglie d'ulivo e impreziosita da rifiniture intrecciate con perline rocaille (vedi p. 691, in alto e in basso a destra), ispirata all'uniforme dei membri dell'Académie.

« CHANEL BY THE SEA »

Partendo ancora una volta dall'acqua e dalla spiaggia, Karl Lagerfeld immagina un paesaggio sabbioso sotto un cielo azzurro brillante, con tanto di onde in movimento. « È la spiaggia di uno dei miei luoghi preferiti – dove non sta accadendo niente e non ci sono nemmeno barche, perché il mare è troppo agitato », spiega riferendosi alle spiagge di Sylt, l'isola più settentrionale della Germania.

« Ci andavo da bambino – e ci sono tornato una volta per una sfilata [prêt-à-porter autunno/inverno 1995/1996] con Claudia Schiffer e Shalom Harlow », continua il *couturier*. « È il posto meno inquinato della Terra, in mezzo al Mare del Nord. Quand'ero piccolo ci si arrivava solo con le barche da pesca. Lì il paesaggio cambia ogni giorno, le dune si muovono con il vento. »

Apre la sfilata Luna Bijl (a destra) con un abito in tweed ricamato a paillettes e una coppia di borsette portate a tracolla: sono le nuove « side-pack », come le battezza la maison, « in versione mini o maxi, da portare sole o agganciate insieme, ed eventualmente da abbinare a delle mules. »

Arricchita dagli accessori della linea « CHA-NEL » che include cappelli a tesa larga e berretti di paglia a doppia visiera, la sfilata è pervasa da tonalità solari e sabbiose. « Le minigonne, ricamate con minuscole perline dorate e iridescenti, simili a granelli di sabbia, si abbinano a vanity case in paglia naturale », spiega la maison.

Gioioso e giovane, lo show « osserva Chanel con gli occhi entusiasti di una ragazza che si diverte a rubare dall'armadio della madre giacche in tweed oversize anni '80, tailleur, corti maglioni di cashmere e borse trapuntate con tracolle a catena », scrive Sarah Mower sulle pagine di *Vogue*. « Siete convinti che l'athleisure con i legging e i pantaloncini da ciclismo in tessuto scuba siano la grande novità? Ah! Ah! Nel 1991 Karl Lagerfeld aveva già portato Chanel a fare surf [vedi p. 122] con la sua collezione che univa scuba e tweed, e che allora smosse davvero le acque. »

« EGYPTOMANIA »

Presentata al Metropolitan Museum of Art
di New York, nella grande sala del Tempio
di Dendur, la nuova collezione *métiers d'art*
« Paris-New York » (vedi anche p. 368)
si prefigge di « rinnovare i codici Chanel
con riferimenti all'Antico Egitto e allo spirito
di New York », afferma la maison.

Suzy Menkes coglie riferimenti anche
al « Gruppo Memphis, fondato da Ettore
Sottsass, di cui negli anni '80 lo stilista collezionò
i mobili », nonché agli anni '20, quando
la scoperta della tomba di Tutankhamon segnò
l'inizio di quell'egittomania che ritroviamo
nell'arte e nell'architettura di Manhattan
– basti pensare al Chrysler Building e ad altri
grattacieli Art Déco. »

Karl Lagerfeld si affida all'abilità degli artigiani
métiers d'art di Chanel per creare pezzi unici,
dalle calzature d'oro di Massaro che
accompagnano ogni look (tra cui gli stivali
in pelle dorata goffrata con tacco gioiello
ad opera del maestro dei bijoux Desrues
e dell'orafo Goossens; vedi pagina accanto,
in basso a sinistra), ai tweed di Lesage intessuti
a mano e intrecciati a nastri dorati dipinti sempre
a mano, fino alle sfavillanti decorazioni ricamate
che includono pietre di Goossens come rifiniture
e su cinturini, corpetti, pettorali e spalle.

L'atelier parigino di Lognon ha ideato delicati
plissé in tulle nero e organza per conferire
movimento alle maniche e alle gonne (vedi
p. 700, in basso a destra), mentre i lunghi
e grafici abiti da sera che chiudono la sfilata
sfoggiano intricati intarsi di piume blu, rosso
e oro della maison Lemarié (vedi p. 701,
in alto a destra).

« In questa collezione, le pelli di alligatore
e di pitone sono un'illusione », scrive Sarah
Mower di *Vogue*. « L'effetto è stato ottenuto
grazie a stampe su pelle e dischetti scintillanti
a forma di scaglie: alla vigilia della sfilata Chanel
ha annunciato che il marchio non utilizzerà
più pelli di coccodrillo, di razze né di rettili
esotici. »

« VILLA CHANEL »

Sullo sfondo di una villa italiana (definita
da Lagerfeld come « lussuosa, calma e serena »),
la collezione si rifà al Settecento, suo periodo
storico preferito.

L'idea è germogliata in lui dopo aver visitato
« La Fabrique du luxe: Les marchands merciers
parisiens au XVIIIᵉ siècle », una mostra allestita
al Musée Cognacq-Jay di Parigi, incentrata
sui « mercanti parigini che rifornivano la gente
facoltosa di beni di lusso d'ogni genere, dai
nastri di seta alle cornici dorate e agli arredi più
sontuosi », scrive Hamish Bowles sulle pagine
di *Vogue*. « Quando Madame de Pompadour,
favorita di Re Luigi XV nonché promotrice
dell'arte […], vide il magnifico lavoro della
manifattura tedesca di Meissen […], esortò
i maestri artigiani di Vincennes a creare analoghi
fiori di porcellana in modo che le sue splendide
dimore e le sue cene fossero rallegrate da tocchi
floreali anche d'inverno. »

Ritroviamo i fiori in tutta la collezione,
dai motivi dipinti a mano sull'organza a quelli
di ceramica applicati sugli abiti dai toni pastello
(vedi p. 704), fino ai fiori veri ricoperti di resina
« per preservare tanta bellezza », commenta
elogiativo il *Women Wear's Daily*, che conclude:
« Lagerfeld ha perorato con forza la causa della
gioia – la gioia della bellezza, la gioia della natura
(anche quando è artificiale). » Tim Blanks
aggiunge: « Il paradosso della leggerezza
nella sostanza, ecco il vero banco di prova
per un *couturier*. »

A causa della stanchezza, Lagerfeld non può
essere presente alla fine dello show, e incarica
Virginie Viard, Direttrice di Studio della maison,
di salutare il pubblico insieme alla scintillante
sposa che chiude la sfilata con un costume
da bagno e una cuffia d'argento riccamente
ricamati (vedi p. 705, in alto).

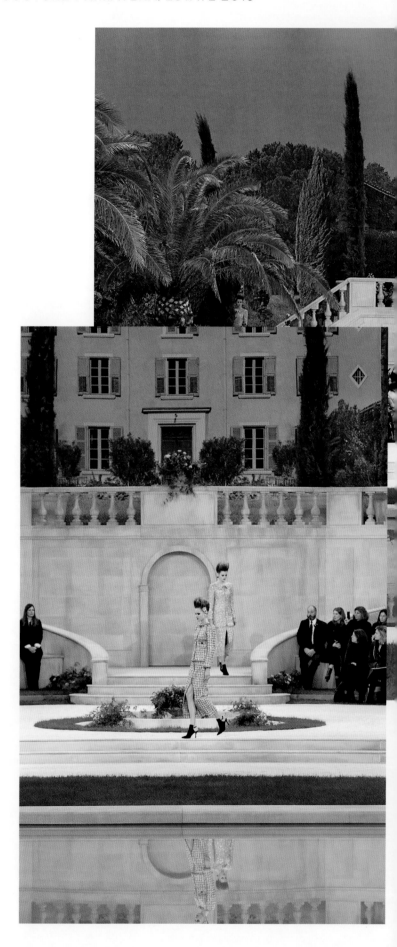

« CHALET GARDENIA »

Il paesaggio innevato di un villaggio alpino
accoglie gli ospiti presenti all'ultima collezione
creata a quattro mani da Karl Lagerfeld
e Virginie Viard, suo braccio destro ed erede.
« È stato difficile riuscire ad ammirare quest'oasi
ammantata di neve, quest'angolo di paradiso
Chanel », commenta *Vogue*.

A poche settimane dalla scomparsa di Lagerfeld
nel febbraio 2019, la sfilata viene preceduta
da un minuto di silenzio al quale segue
l'intervista in cui il *couturier* racconta di come
fu invitato ad assumere la direzione artistica
della maison. Soltanto la sua passione per
Gabrielle Chanel e il suo amore per le sfide
(« tutti mi dicevano 'non farlo, non funzionerà' »)
lo spinsero ad accettare, permettendogli di aprire
un nuovo capitolo nella storia della moda.

Dominata dalle tonalità del bianco, del nero
e del grigio, la collezione propone silhouette
molto diverse tra loro: lunghi cappotti
e completi in tweed, mantelle fluenti
e soffici abiti di piume a « palla di neve »
(vedi p. 711, in alto).

« L'ultima fatica di Lagerfeld è stata...
emozionante, senza essere nostalgica
o sentimentale. Invernale, senza essere fredda »,
scrive Jo Ellison sul *Financial Times*.
« In un'atmosfera triste ma serena nel contempo,
hanno sfilato ariosità e sostanza, eleganza
disinvolta e gioia irresistibile. L'addio
all'immenso talento di Karl Lagerfeld è stato
come probabilmente se l'era immaginato lui
stesso », commenta Sarah Mower su *Vogue*.

Alla fine dello show gli ospiti si alzano in piedi
per una standing ovation, mentre le modelle
– da Cara Delevingne a Penélope Cruz –
escono sulle note di *Heroes* di David Bowie.
« Non c'è da stupirsi che tante di loro fossero
commosse durante il gran finale », scrive Jo-Ann
Furniss. « Karl aveva preso sotto la sua ala
protettrice molte modelle – come ad esempio
Mariacarla Boscono che lo conosceva fin
da quando era adolescente – incoraggiandole
sempre a essere se stesse. »

« Questo 5 marzo qualcosa è finito dando
inizio a qualcos'altro », aggiunge la Furniss.
« Oltre a comprendere l'importanza del passato,
Karl Lagerfeld amava guardare al futuro. Questa
collezione è stata di Karl Lagerfeld quanto
di Virginie Viard, che ora porta avanti il ritmo
dello stilista ma su una melodia tutta sua. »

« La musica continua », recita la didascalia
di un bozzetto del *couturier* posato su ogni
sedia, in cui lui e Gabrielle Chanel, fianco
a fianco, guardano nella stessa direzione.

VIRGINIE VIARD: BREVE BIOGRAFIA

di Patrick Mauriès

Nata nel 1962 a Lione, in una famiglia di produttori di seta, Virginie Viard rivela una naturale predisposizione a lavorare nell'industria della moda: « Non sapevo che cosa volessi fare di preciso », racconta a *Vogue Australia*, « ma sapevo che avrebbe avuto a che fare con la moda, perché ho sempre amato gli abiti. È una passione ereditata dalle donne della mia famiglia. » Prima fra tutte la madre che, durante il boom del prêt-à-porter, indossa Sonia Rykiel e Chloé e che per la figlia diventa un vero e proprio modello da seguire.

Nel 1987, tramite un amico di famiglia, Virginie Viard conosce Karl Lagerfeld che le propone di entrare da Chanel con l'incarico di gestire gli atelier *métiers d'art*. In seguito, nel 1992, la invita a seguirlo da Chloé, la maison che due decenni prima ha portato al successo e dove entrambi rimarranno per molti anni.

Nel 1988 Virginie Viard mette a frutto i suoi studi di storia e pratica di sartoria teatrale facendo da assistente a Dominique Borg, costumista del film di Bruno Nuytten *Camille Claudel*, interpretato da Isabelle Adjani. Parallelamente al lavoro per Chloé, Virginie crea i costumi per due pellicole di Krzysztof Kieslowski: *Tre colori – Film blu* (1993), con cui Juliette Binoche vince il premio César, e *Tre colori – Film bianco* dell'anno successivo, con Julie Delpy. La modesta e schiva stilista si ritrova così a vestire due delle più grandi attrici francesi dell'epoca.

Conclusa nel 1997 l'esperienza con Chloé, Virginie Viard torna da Chanel, questa volta come direttrice di studio, iniziando un fruttuoso sodalizio con Karl Lagerfeld. Alla giovane stilista spetta il compito di mettere in pratica gli schizzi, le visioni e i lampi di genio del maestro. Una lunga collaborazione insolitamente stretta per il *couturier*, noto per la sua grande generosità ma anche per essere spietato con chiunque non si dimostri all'altezza delle sue aspettative. Anni dopo, Lagerfeld affermerà che Virginie Viard è il suo braccio destro e anche quello sinistro, una dichiarazione a dir poco memorabile.

Seguendo una routine ben collaudata, nel tardo pomeriggio i due si riuniscono con i vari team al terzo piano di rue Cambon. Durante il giorno la stilista lavora realizzando modelli e scegliendo tessuti; quando, verso le 18, Lagerfeld arriva con i suoi bozzetti, il processo creativo ricomincia. « È proprio perché riusciamo a comprimere due giorni in uno che siamo in grado di presentare tante collezioni », spiega Virginie.

Questo raro esempio di felice collaborazione dura oltre un ventennio. Con un elegante atto di riconoscimento e riconoscenza, Karl Lagerfeld invita Virginie Viard a stare al suo fianco mentre presenta le sue ultime collezioni. Quando, alla fine della sfilata del gennaio 2019, la stilista compare sola, non stiamo assistendo alla conclusione di qualcosa ma a un passaggio di testimone; non alla fine di un'epoca, ma alla sua reinvenzione. Da quel momento è lei la direttrice artistica della haute couture, del prêt-à-porter e degli accessori, che si fa carico del compito di perpetuare e trasformare l'eredità di Lagerfeld, proprio come lui ha fatto con quella di Coco. Ancora una volta la storia della maison Chanel è splendidamente riassunta nella famosa frase de *Il gattopardo* di Tomasi di Lampedusa: « Se vogliamo che tutto rimanga com'è, bisogna che tutto cambi. »

UN INVITO A VIAGGIARE

Dopo oltre trent'anni di stretta collaborazione
con Karl Lagerfeld, il debutto in solitario
di Virginie Viard segna per la maison l'inizio
di un nuovo viaggio. Il setting è l'immaginaria
stazione di Beaux-Arts, attraversata da veri
e propri binari ferroviari e disseminata di cartelli
con le location delle precedenti collezioni:
Venezia (vedi p. 446), Saint-Tropez (p. 474),
Edimburgo (p. 532)… Scegliendo di presentare
la sfilata al Grand Palais, luogo d'elezione degli
show Chanel, Virginie Viard invita lo spettatore-
viaggiatore a guardare al passato ma anche
al futuro.

« La potente maison Chanel è ora un marchio
che racchiude una doppia eredità: il DNA di
Gabrielle "Coco" Chanel e di Karl Lagerfeld,
giganti della moda che per oltre un secolo hanno
plasmato il modo in cui le donne desiderano
apparire », scrive Hamish Bowles sulle pagine
di *Vogue*. Con questa sua prima collezione,
Virginie Viard rende omaggio a entrambi
gli stilisti.

« Se il rispettoso look di apertura [a destra]
suggerisce il modo in cui una giovane,
emancipata Chanel potrebbe vestirsi nel 2020
– con una comoda giacca nera abbinata a una
sobria e morbida camicetta e ad ampi pantaloni
abbastanza corti da non essere d'intralcio a una
donna attiva e piena d'impegni – l'abito senza
maniche dal rigido colletto edoardiano che
chiude la sfilata [vedi p. 718, in basso a destra],
rende omaggio a Karl Lagerfeld e al suo
inconfondibile uso del bianco e nero »,
osserva Bowles.

I pratici tailleur pantalone in gabardine o cotone
cerato – alcuni accessoriati con cinture a catena
e camicette ravvivate da *ruches* – si ispirano alle
divise da lavoro. L'iconico abito Chanel di tweed
viene reinventato con colori brillanti e nuove
silhouette con due, quattro, sei se non otto
tasche e una cintura stretta in vita, e lo
ritroviamo abbinato a legging o drappeggiato
su fiocchi oversize indossati come bustier.
Chiudono la collezione eleganti abiti da sera
neri, alcuni in contrasto con colletti alla Berthe
rimovibili in organza bianca.

« [Virginie Viard] merita un particolare elogio
per il suo atteggiamento elegante e discreto
e per aver riportato un soffio di femminilità
a ciò che un tempo era l'essenza del mondo
di Coco, popolato di donne forti », conclude
Suzy Menkes per *Vogue*.

LA BIBLIOTECA

Per la prima sfilata haute couture di Virginie Viard, il Grand Palais si trasforma in una grande biblioteca circolare, costruita attorno a un elegante salotto – un omaggio a quella dell'appartamento di Coco Chanel in rue Cambon, ma anche alla libreria Galignani di Parigi, di cui il bibliofilo Karl Lagerfeld era un affezionatissimo cliente. « Ho sognato una donna dall'eleganza disinvolta e dalla silhouette fluida e libera, ossia ciò che più amo del fascino di Chanel », spiega la stilista.

La collezione, non priva di influenze maschili, si apre con lunghi cappotti dritti in tweed (a destra), seguiti da bolero presentati in colori vivaci e bomber con spalle e maniche arrotondate, talvolta rifiniti da colletti bianchi plissettati, leggeri e trasparenti come le pagine di un libro, a sottolineare ulteriormente l'ispirazione letteraria della collezione (pagina accanto, in basso a sinistra). Oltre agli occhiali da lettura, gli accessori chiave sono i bottoni in versione gioiello, o realizzati in toni pergamena per evocare antichi codici miniati.

« Un'amante dei libri, sì… ma questa bibliotecaria non passa di certo inosservata », commenta Tim Blanks. « L'abito jacquard rosa acceso indossato da Kaia Gerber [pagina accanto, in basso a destra] è accompagnato da origami floreali, con la carta che si trasforma ancora una volta », aggiunge, passando poi a tessere le lodi di « un abito di velluto nero con sparato bianco dal colletto alto, polsini bianchi e un fiocco nero [vedi p. 723, in basso] che fonde il rigore della Secessione Viennese tanto amata da Lagerfeld all'inconfondibile purezza mascolina di Chanel. » « Il debutto di Virginie Viard nella haute couture è intriso d'eleganza, di moderazione e di un'acuta comprensione di ciò che la cliente Chanel si aspetta », conclude Blanks.

I TETTI DI PARIGI

Parlando della sua ultima collezione, presentata tra tetti rivestiti di zinco inconfondibilmente parigini, Virginie Viard spiega: « I tetti di Parigi mi riportano alle atmosfere della Nouvelle Vague. Ho immaginato silhouette che ci camminavano sopra, e d'un tratto ho pensato a Kristen Stewart nei panni di Jean Seberg, in compagnia di tutte le attrici che Gabrielle Chanel ha vestito all'epoca. »

« Lo spirito è giovane, pieno di speranza, e guarda al futuro con ottimismo », scrive Susannah Frankel. Le linee sono improntate alla facilità di movimento e il famoso tailleur di tweed viene trasformato in irriverenti microtute, accompagnate da piccole borse in tweed con cerniera che ricordano astucci scolastici, con il nome della maison e sottili strisce di pelle intrecciate alla catenella (pagina accanto, in basso a destra).

Fluide e leggere, le gonne a vita alta si abbinano a sandali bassi e talvolta a cappelli di feltro realizzati dalla Maison Michel. Ispirandosi al portamento delle ballerine, Virginie Viard propone anche mini pantaloncini insieme a top con paillettes e collant neri simili a legging. La collezione è disseminata di variazioni sulle maniche a palloncino – che ritroviamo negli abiti da giorno e da sera – « cariche di fiocchi e volant, e ricamate con fili di rafia e petali d'organza », come spiega la maison.

« Nella visione di Chanel portata in passerella da Virginie Viard si ritrova tutta la spavalderia di Coco con, in più, un tocco da *gamine* », nota Tim Blanks. La stilista offre « una pratica scomposizione del guardaroba Chanel dedicata alla donna giovane », conclude Sarah Mower su *Vogue*. « Uno *starter kit* per le ragazze di oggi, saldamente radicato nell'eredità di Coco Chanel. »

RITORNO A CASA

I *métiers d'art* occupano un posto speciale
nel cuore di Virginie Viard, che per trent'anni
ha fatto da tramite tra questi atelier d'eccezione
e la maison. Per la sua prima collezione a loro
dedicata non esita a rifarsi a quella inaugurale
del 2002, presentata nei saloni di rue Cambon
a un pubblico selezionatissimo (vedi p. 316).
« Ho adorato quella sfilata », racconta la stilista.
« Le modelle fumavano ascoltando Lou Reed.
L'atmosfera contava più del tema. »

Il suo è un tributo a quello show di svolta,
ma anche al modo in cui le collezioni venivano
presentate ai tempi di Gabrielle Chanel,
con le modelle che sfilavano nel salone dai grandi
specchi mentre la *couturière*, in cima all'iconica
scala, osservava le reazioni dei presenti.
Virginie Viard si avvale dell'aiuto di Sofia
Coppola, vincitrice di un premio Oscar ed ex
stagista presso la maison, per ricreare all'interno
del Grand Palais una versione cinematografica
del 31 di rue Cambon (la doppia C e il numero 5
vengono incorporati nell'enorme lampadario
sovrastante la passerella). « Quando comincio
a immaginare una nuova collezione », confida
la stilista, « per prima cosa penso a quella scala,
visualizzo una ragazza che la scende e mi chiedo:
Che abito indossa? Che scarpe porta? »

Per lei è « un ritorno all'ABC di Chanel »,
una strizzata d'occhio tanto agli aspetti iconici
quanto a quelli meno noti della storia della
maison, dai motivi tie-dye ispirati a un tailleur
di tweed rosa con inserti neri, blu, rosa e malva
creato da Gabrielle Chanel nel 1960 (pagina
accanto, in basso a sinistra) alle scultoree camelie
simili a gioielli realizzate da Lemarié (vedi p. 730,
in basso), passando per le minaudières racchiuse
in gabbie dorate (vedi p. 730 , in alto a destra),
come la gabbietta per uccelli nell'appartamento
di Mademoiselle.

« Virginie Viard usa la maestria dei *fournisseurs*
per abbellire con tocchi lievi questi abiti che
citano Lagerfeld e allo stesso tempo sfoggiano
una vestibilità naturale, più vicina allo spirito
di Gabrielle Chanel e all'epoca in cui le sfilate
offrivano ampia scelta a una clientela variegata
e multi-generazionale », osserva Hamish Bowles
sulle pagine di *Vogue*.

« Ho assimilato tutti i codici Chanel », aggiunge
la stilista. « Ho visto il modo in cui Karl li ha
trasfigurati. Sono cresciuta qui. Sono figlia
di Karl e Gabrielle. »

AUBAZINE

Per la sua seconda collezione haute couture,
Virginie Viard guarda al passato, all'infanzia
di Gabrielle Chanel, soprattutto agli anni da lei
trascorsi nell'abbazia cistercense di Aubazine,
dove, dopo la morte della madre, viene lasciata
dal padre che non tornerà mai più a riprenderla.

Durante una recente visita all'abbazia, Virginie
rimane incantata dal giardino del chiostro.
« Mi ha colpito perché era incolto », ricorda.
« In quella giornata di sole mi ha fatto pensare
all'estate, alla brezza profumata. Volevo ricami
floreali come quelli di un erbario, volevo fiori
delicati. Mi ha ispirato il contrasto tra la
sofisticata eleganza della haute couture
e la semplicità di quel luogo. »

« Mi sono innamorata anche dell'idea delle
collegiali, degli abiti indossati dalle bambine
di quei tempi », continua la stilista – un tema
che ritroviamo negli ensemble di apertura
della sfilata, abbinati a calze, stivaletti stringati
e collant bianchi.

All'inconfondibile purezza delle linee Chanel,
alle sue influenze maschili e all'austera palette
cromatica, « Virginie Viard associa il carattere
ribelle [di Gabrielle] », scrive Tim Blanks.
« La collezione è pervasa da un sottinteso
consapevolmente adulto. Gigi Hadid splende
come una stella nella severità del suo lungo
abito nero con lo spacco da cattiva maestra »
(pagina accanto, in alto a sinistra).

L'immaginazione della giovane Gabrielle
è stata plasmata da molti elementi dell'abbazia,
in seguito più volte emersi nel suo lavoro,
afferma la maison: « Il pavimento di piastrelle
decorate con motivi diversi come le stelle,
le vetrate dagli intrecci geometrici variopinti »
vengono qui riproposti sui colletti alla Berthe
ricamati (pagina accanto, in basso a sinistra
e a destra), come anche su un tailleur e un abito
incrostati di paillettes in tonalità pastello
(vedi p. 734, in basso a sinistra).

Il mood si fa poi fluido e romantico, e lo show
si conclude con un corto abito da sposa in crêpe
georgette accompagnato da un velo ricamato
con rami di glicine (vedi p. 735, in basso).
« Il velo è fissato allo chignon e la sposa potrebbe
strapparselo in preda a un capriccio improvviso,
o sbarazzarsi con altrettanta disinvoltura del
promesso sposo », nota Tim Blanks. « Qualcosa
che ricorda Coco e la sua modernità senza
tempo, insomma. Virginie Viard è riuscita
in modo convincente a trasmettere il suo spirito
affascinante e complesso. »

ROMANTICA

« Un afflato essenziale, puro. Romanticismo
senza orpelli. Emozioni senza fronzoli. »
Queste le linee guida della più recente collezione
Chanel, secondo Virginie Viard, che aggiunge:
« Movimento, aria… E, per la sfilata, nessuna
cornice », solo un pavimento a specchio
ammantato di nebbia, su cui sfilano le modelle
– in piccoli gruppi di due o tre, come se fossero
sorelle – seguendo liberamente le curve
monocromatiche della scenografia più che mai
spoglia.

La collezione si ispira alle tenute di seta indossate
dal fantino che cavalcava Romantica, il cavallo
da corsa di Gabrielle Chanel, ed evoca il tema
equestre con ampi jodhpur (chiusi sul lato
da bottoni a pressione in argento per « un gesto
più vivace » come spiega la stilista) e « in modo
più sottile, con fasce incastonate nelle maniche
di giacche e cappotti in tweed che richiamano
le casacche di seta dei fantini », riferisce Hamish
Bowles su *Vogue*.

Virginie Viard prende in prestito da Lagerfeld
gli stivali delle sette leghe da lui sfoggiati in uno
scatto degli anni '80 in cui compare insieme
ad Anna Piaggi: « un puro revival dello stile
edoardiano… Per Virginie Viard l'immagine di
Lagerfeld in giacca e gilet a righe, un fazzoletto
di seta nera al collo, pantaloni da equitazione
e quel paio di pesanti stivali racchiude "un
potente romanticismo" », osserva Bowles.

« I capi di questa collezione sono preziose
gemme, sfavillanti in una cornucopia di arte
sartoriale, più che mai evidente nei sontuosi
velluti, nel lucente taffetà e nella maestria
del tweed », scrive il giornalista di moda
Dan Thawley. « La loro sobrietà lascia spazio
a tocchi stravaganti, quali le perline *ton sur ton*
sulla candida giacca smerlata, abbinata a una
gonna con maxi spacco frontale e pantaloncini »,
e impreziosita da una reinvenzione delle croci
di Malta tanto amate da Coco Chanel.

BIBLIOGRAFIA

Fonti delle citazioni contenute nell'introduzione e nelle biografie di Karl Lagerfeld e Virginie Viard:

Alice Cavanagh, « Virginie Viard on her career with Karl Lagerfeld at Chanel and what makes a Chanel woman », *Vogue Australia*, 19 febbraio 2019.

Colapinto, John, « In the Now. Where Lagerfeld lives », *The New Yorker*, 12 marzo 2007

Cutler, Anabel, « Chanel after Coco », *In Style*, ottobre 2009

Ellison, Jo, « King of Couture », *The Financial Times*, 5 luglio 2015

Frankel, Susannah, « Still Crazy about Coco », *The Independent Magazine*, 22 marzo 2008

Fraser, Kennedy, « The Impresario: Imperial Splendors », *Vogue US*, settembre 2004

Fraser-Cavassoni, Natasha, « I Should Coco! », *The Times Luxx Magazine*, 14 novembre 2009

Freeman, Hadley, « Chanel », 10, autunno 2005

« The Man behind the Glasses », *Fashion Handbook*, 17 settembre 2005
Gaudoin, Tina, « Master and Commander », *The Times*, 5 marzo 2005

« Interview with Karl Lagerfeld », *ID*, The Studio Issue, marzo 2004

Kaprièlian, Nelly, « Le cuirassé Lagerfeld », *Vogue France*, ottobre 2007

Lannelongue, Marie-Pierre, « L'extravagant mystère Karl », *Elle France*, 14 febbraio 2015

Lowthorpe, Rebecca, « The Man behind the Shades », *Elle UK*, marzo 2012

Mauriès, Patrick e Jean-Christophe Napias, *Il mondo secondo Karl*, Rizzoli, 2013

Merkin, Daphne, « Alter Egos », *Elle US*, aprile 2003

Sabatini, Adélia, « The House that Dreams Built », *Glass*, estate 2010

CREDITI FOTOGRAFICI

RINGRAZIAMENTI

Autore ed editore ringraziano per il loro aiuto
e generosità nella messa a punto dell'opera:
Marie-Louise de Clermont-Tonnerre, Agnès Duval,
Cécile Goddet-Dirles e Sarah Piettre.

Grazie anche a Kerry Davis e a Don Ashby dell'agenzia
firstVIEW, e a Sean Tay per il suo lavoro di ricerca.

INDICE DEI CAPI, ACCESSORI E MATERIALI

I numeri di pagina rimandano alle illustrazioni.

INDICE DELLE INDOSSATRICI

I numeri di pagina rimandano alle illustrazioni.

L'editore ha cercato di rintracciare tutte le indossatrici presenti nel volume. Saremo lieti di rettificare le eventuali omissioni in una prossima edizione.

INDICE ANALITICO

Si vedano anche gli indici precedenti.

Nella stessa collana Sfilate:

Chloé
Dior
Givenchy
Louis Vuitton
Prada
Versace
Vivienne Westwood
Yves Saint Laurent

Fascetta: Collezione Chanel prêt-à-porter
autunno/inverno 2019/2020 © firstVIEW

Prima edizione pubblicata nel Regno Unito
nel 2016 da Thames & Hudson Ltd, Londra:
Chanel: The Complete Karl Lagerfeld Collections
La presente edizione, rivista e aggiornata, è stata
pubblicata sotto il titolo *Chanel: The Complete Collections*
© 2020 Thames & Hudson Ltd, Londra

Introduzione e « Karl Lagerfeld: breve biografia »
© 2016 e 2020 Patrick Mauriès
« Virginie Viard: breve biografia »
© 2020 Patrick Mauriès
Concezione collana e testi sfilate © 2016 e 2020
Adélia Sabatini e Thames & Hudson Ltd, Londra
Fotografie © 2016 e 2020 firstVIEW,
salvo diversa indicazione
Design: Fraser Muggeridge studio

© 2020 L'ippocampo, Milano,
per l'edizione italiana
Traduzione dal francese di Vera Verdiani,
Maura Parolini e Matteo Curtoni

ISBN: 978-88-6722-530-9

www.ippocampoedizioni.it

THE CHRISTIAN MESSAGE
IN A
NON-CHRISTIAN WORLD